海外漢文古醫籍精選叢書・第三輯

2011—2020年國家古籍整理出版規劃項目
2018年度國家古籍整理出版專項經費資助項目
中國中醫科學院「十三五」第一批重點領域科研項目
——我國與「一帶一路」九國醫藥交流史研究（ZZ10-011-1）

蕭永芝◎主編

子玄子産論

〔日〕賀川玄悦 撰

産論翼

〔日〕賀川玄迪 撰

23

北京科学技术出版社

圖書在版編目（CIP）數據

子玄子產論；產論翼/蕭永芝主編. —北京：北京科學技術出版社，2019.1
（海外漢文古醫籍精選叢書. 第三輯）
ISBN 978-7-5714-0013-2

Ⅰ. ①子… Ⅱ. ①蕭… Ⅲ. ①中醫婦産科學—日本—近代 Ⅳ. ①R271

中國版本圖書館CIP數據核字（2018）第293414號

海外漢文古醫籍精選叢書·第三輯·子玄子產論　產論翼

主　　編：蕭永芝
策劃編輯：李兆弟　侍　偉
責任編輯：吕　艷　周　珊
責任印製：李　茗
出 版 人：曾慶宇
出版發行：北京科學技術出版社
社　　址：北京西直門南大街16號
郵政編碼：100035
電話傳真：0086-10-66135495（總編室）
0086-10-66113227（發行部）　0086-10-66161952（發行部傳真）
電子信箱：bjkj@bjkjpress.com
網　　址：www.bkydw.cn
經　　銷：新華書店
印　　刷：北京虎彩文化傳播有限公司
開　　本：787mm×1092mm　1/16
字　　數：258千字
印　　張：21.5
版　　次：2019年1月第1版
印　　次：2019年1月第1次印刷
ISBN 978-7-5714-0013-2/R·2568

定　　價：**600.00元**

海外漢文古醫籍精選叢書・第三輯

子玄子産論

〔日〕賀川玄悦　撰

内容提要

《子玄子産論》，簡稱《産論》，作者賀川玄悦是日本著名婦産科醫家、「賀川流産科」的鼻祖。他發現并闡明正常胎位，創製十三種産科手法技術，化裁中醫古方治療産科疾病，擅長救治難産之術，一生挽救了衆多難産婦兒。賀川玄悦的代表著作《子玄子産論》是記載其婦産科理論、治術和方藥的重要著作，爲日本傳統産科學奠定了基礎，在該國醫學史上産生過深遠的影響。

一　作者與成書

《子玄子産論》卷一之首題署「皇和近江州彦根賀川玄悦子玄著」「男玄迪子啓／門人山脇格叔光仝校」，故知此書由賀川玄悦所著，經其子玄迪(字子啓)、門人山脇格(叔光)校訂。

賀川玄悦(一七〇〇—一七七七)，一名光森，字子玄，出生於近江州彦根藩(今日本滋賀縣彦根市)。玄悦本族姓三浦，因其爲庶出，七歲時被收養於母親娘家而改姓賀川。賀川家原以務農爲生，玄悦先習農耕，後弃農而研習針灸、按摩之術；成年後辭鄉入京，業醫自給，又研習古醫方和産科。其間，「適鄰婦臨蓐，子露手膊而不出，婦煩冤欲死。玄悦視而憫之，竟夕不寐，思所以濟之。明旦往而爲治，遂得平娩。於是始悟治産在手術，欲益窮其變，常養丐婦有身者以試之，久而術成。諸娩難，玄悦下手，效績立見，稱爲神工」。❶

在賀川玄悦居住的京都城南一貫街，周邊貧民較多。玄悦將乞丐中的孕婦養於家中，親自觀察她們的孕産經過，并救治難産者。他在此過程中逐漸體悟到手法助産對於難産救治的重要性，通過不斷積纍經驗，其産科技術日益精進，最終譽滿京師。門人山脇格在本書附録中盛贊其師玄悦曰：「子玄先生以方術特善治産婦，擅名於京師者已三十年。都人士庶迎請懇治，歲以萬數，其間神效奇勛，豈可勝記哉……産婦日數百人，凡世醫所難，先生無不治，治皆無不全矣，而竟以此顯名京師。」

賀川玄悦除了擁有精湛的産科治術之外，其爲人亦極具個性。這從《子玄子産論》書首的山脇橘陶（東門）「子玄子産論序」中可以窺知一二，如其所言：「翁爲人忠實任氣……而有貧窶孤寡之疾病，即必匍匐就事，尚且爲之施與，必救其急患；即雖貴富輿載之招，有毫髮不容於其心，則亢眉不肯顧焉。又見華言巧飾之徒，則煮燎以弄之，亦詬厲以鋤其趣操焉。以故人或稱之爲狂爲痴，而能知之者，如子之慕慈母也。」

賀川玄悦在産科方面業績卓著，最突出的貢獻就是發現正常的胎位，創十三種産科手術技法，批判産科使用産椅、鎮帶等陋習，其婦産科理論、醫術和治驗集中體現於《子玄子産論》一書中。此書爲賀川玄悦總結畢生婦産科理論、治法及方藥的著作，也是日本較早的婦産科專著，對後世日本産科學

---

❶〔日〕淺田宗伯.皇國名医傳[M]//大塚敬節，矢數道明.近世漢方医學書集成：第九十九册.東京：株式會社名著出版，一九八三：四九四.

產生了深遠的影響。此書成書後，以其爲基礎衍生出一些相關研究著述，如有賀川秀益《產論考》、佚名氏《子玄子產論記聞》、佚名氏《產論説解》、奥劣齋《產論纂注》、橘南溪《讀產論》等。

除《子玄子產論》外，賀川玄悦的其他著作還有《子玄子按腹法》《產論修飾》《賀川產論秘傳書》《賀川玄悦產室抄》《賀川子玄產術秘要書》《婦人產前後腹診手術》等。

繼賀川玄悦之後，賀川家世代爲婦產科醫生，玄悦子孫、門人繼承其婦產科醫術，并不斷發揚光大，形成了著名的醫學流派「賀川流產科」，一度成爲日本江户時代產科學的主流。賀川玄悦子孫中傳承其醫術者主要有以下幾人。

賀川玄迪（一七三九—一七七九），一名義迪，字子啓，本姓岡本，爲賀川玄悦養子，繼承玄悦家業。玄迪補《產論》之未備，於安永四年（一七七五）著成《產論翼》一書。

賀川玄吾（一七三四—一七九三），爲賀川玄悦之子，也是其重要傳人之一，著作有《產道秘訣》《產術記》《產道口訣》。

賀川滿定（一七七二—一八三五），爲賀川玄吾之子、女醫博士，著有《產科記聞》《產科秘要》等，將祖傳「回生術」改進爲「無鈎回生術」。

除家族傳人外，賀川氏門人衆多，在產科方面著述豐富，進一步推動了「賀川流產科」的發展。舉例如下。

山脇格（叔光）（一七四五—一七八六），爲賀川玄悦門人，山脇東洋庶子，校正《子玄子產論》，著有《產科回生秘訣》。

片倉鶴陵（一七五一—一八二二），賀川流杰出傳人之一，著有《産科發蒙》。

原南陽（一七五二—一八二〇），賀川玄迪門人，著有《産論經驗》《叢桂亭醫事小言》。

奥劣齋（一七八〇—一八三五），爲賀川流産科發展做出了重要貢獻，著述有《産論校注》《女科隨札》《達生園産科外術秘録》《産科内術》《女科漫筆》等。

賀川氏其他門人尚有難波抱節，著《胎産新書》；富士谷成基，撰《救偏産言》等。

總之，賀川家是日本江户時代盛名廣傳的婦産科醫學世家，傳承了上百年的歷史。賀川玄悦産科學問精深、貢獻突出，所著《子玄子産論》一書幾度再版，後世研究和發揮此書的著作亦多。玄悦的學説爲後人和門人發揚光大，并不斷完善，逐漸形成了著名的「賀川流産科」，爲後世日本婦産科學的發展做出了突出貢獻。

二　主要内容

《子玄子産論》全書四卷，主要闡述了婦女妊娠、分娩、産後、産椅及鎮帶等問題，書末附録四十八則産科驗案。

卷一爲「孕育」，即妊娠篇，分爲「論」十九條、「治法」三十二條、「治術」二條。「論」的主要内容包括受孕、妊娠惡阻、候孕與否、妊娠與瘀血腹脹的鑒别、男女腰形差异、胎孕之狀、順逆産、孿胎、品胎、胎兒性别預辨、妊娠陋習、妊娠禁忌等方面的醫論。「治法」即各種妊娠疾病的病候（症狀）、測法（病因和病機）、治法（方藥組成和用法），涉及的疾病有妊娠胎欲墮、吐血衄血、左腿痛、溲黑血、臟燥

（躁）、心下逼、下黄汁、下血塊、墮胎、子癇、過期不産、嘔吐、足痛痿、飲食停滯或吐或下、煩渴、遺精（女子帶下類疾病）、轉胞、大便下利、鬼胎血塊病、渴病、腹滿、腹鳴、右腿痛、顛仆、小便澀滯、淋以及六種妊娠危重症候。「治術」叙述整胎術和救癇術兩種技術手法。

卷二爲「占房」，即分娩篇，包括「論」二十三條、「治法」十條、「治術」五條。「論」部分内容涉及診斷順逆横産、未熟胎、臨産脉、催生藥、破水下水、臨産小便、胎死之候、臨産腰痛、産時子宫變化、分娩异常、逆産横産病因、出産俯仰體位、臍帶、脱腸等方面的醫論。「治法」爲各種臨産現象的病候、測法和治法。這部分内容包含十種病狀，即：産婦嘔吐不止氣上衝心、胎兒露手臂膊、産婦腸脱、臨産不堪腰痛、産婦交骨不開、分娩陰裂、臨産燥屎害於産道、産不能自免（娩）、胎兒露半身不能出、臨産破漿下水不止。其中，産婦嘔吐不止氣上衝心、胎兒露手臂膊爲胎死腹中，不治；産婦交骨不開，未記載治法；分娩陰裂和臨産燥屎害於産道，可用方藥治療；其餘五種，均應用手法治療。「治術」詳細叙述了坐草術（産婦坐位分娩處置法）、抒倒術（産婦骨盆位分娩法）、整横術（胎兒横位矯正法）、舉攣術（雙胎娩出法）、回生術（横産露手胎死截胎術）五種手法技術的具體操作方法。

卷三爲「已娩」，即産後篇，包括「論」十九條、「治法」三十二條、「治術」六條。「論」所含内容有斷臍、胞衣、惡露、小便、血暈、禁忌、用藥、乳汁、褥勞、月經等方面的醫論。「治法」爲各種産後疾病的病候、測法和治法，涉及的疾病有血暈、癲狂、譫語、寒戰、崩漏、瘀血不下、兒枕痛、發熱煩渴、自汗盗汗、各種痛症、大小便不通、産門不閉、怔忡、喘急、腹滿等各類常見産後病。「治術」詳細描述鉤胞（下胎盤法）、禁暈（止産後血暈法）、遏崩（止産後血崩法）、納腸（整復産後脱腸法）、收宫（又稱斂宫，收斂子宫突出法）、復肛（整復産後脱肛疼痛法）六種手法技術。

卷四爲「産椅論并鎮帶論」。據賀川玄悦所言，當時的日本習俗，孕婦生産之後必用産椅；婦人妊娠五月，必以絲綫作帶，束於胸下，以鎮胎氣上衝。作者批評這兩種習俗的弊端，指出兩種方法對婦人造成的危害，倡導世人摒弃産椅和鎮帶。

書末「附録」部分，爲門人山脇格選録賀川玄悦行醫三十餘年取得顯著療效的四十八例産科治療驗案。

三　特色與價值

根據日本學者杉立義一所撰「賀川玄悦と賀川流産科」一文，在賀川玄悦以前，日本人治療産科疾病多以草藥、湯藥治療爲主，且産科醫生幾乎不與産婦直面接觸。❶ 如遇孕婦難産，産婦和胎兒的死亡率極高。如「子玄子産論序」中所述，玄悦「慨然謂大凡横逆産者，究非藥石之所治矣。乃淵慮沉思，益推明其術，而其業大成矣。概其術從古所無，而其所識發，亦拓開由來之陋習」。玄悦領悟到在難産方面，手術比湯藥更爲有效，故撰著《子玄子産論》一書，將自己的主要産科理論、經驗方藥和手法治術彙集其中。

❶ 〔日〕杉立義一．賀川玄悦と賀川流産科[J]//大塚敬節，矢數道明．近世漢方医學書集成：第一〇六册．東京：株式會社名著出版，一九八三：八．

《子玄子産論》爲日本成書較早、對後世産科影響極大的産科專著。全書編寫體例清晰，總體分妊娠、分娩、産後三大類，每一類下基本包含孕産及産後可能出現的各種現象和病候。多數疾病列述臨床症狀、病因病機、治療方藥以及手法治術，内容全面而精當實用，檢閲方便。

賀川玄悦對婦産科的重要貢獻之一是發現并闡明了正常的胎位。玄悦在本書卷一提出：「古來論胎孕之狀，皆以爲妊娠十月，子頭向上，及將生則轉身而下；頃余又閲紅夷所傳内景圖，亦畫胎孕之形，一同其説。乃知傳謬誣真，非特漢土也……大抵五月之後，腹中胎大如瓜，必背面而倒首，其頂當横骨上際而居焉，其胞衣則蓋於胎之尻上，而當母鳩尾之下。至臨月按之，可得别其體貌而盡矣。」玄悦認爲，東西方既往對胎位臨盆時頭才轉向下的認識殊爲謬誤，而正常胎位應是在孕五月之後胎兒即背面倒首，首下臀上。

《子玄子産論》最爲鮮明的特色在於重視并創立産科手術治法。玄悦在此書卷二治術中言：「夫妊娠之治，莫要於臨産，而其間救護居十八，而湯藥居其二焉，故救護失術則湯藥無效矣。然乃今之醫，徒論湯藥之性，而不知講救護之術，至其産母坐草起居之宜，與生子臨盆死生之候，一任之産婆，漫然不加省。即遇其稍微危難者，瞠然疑阻，坐視其子母兩斃，此豈救患濟生者之所爲乎？」玄悦的産科治療方法分爲手法技術和方藥兩種，從全書來看，應用手法技術明顯偏多，且貫穿於妊娠到産後的整個過程之中，尤其在妊娠期和分娩期運用較多。例如，在卷一的三十二條病候中，有十九條用手法治療；卷二的十條病候，有八條運用手法治療，僅有兩條用了方藥；卷三的三十二條病候，有八條用到手法，或將手法與方藥配合使用。

《子玄子産論》中記録的手法技術，妊娠期有整胎手法和救痼術二術，用於妊娠期調整胎位及子癇的急救；分娩期有坐草術、抒倒術、整横術、舉孿術、回生術五種手法，用於救治各種分娩异常，保全難産時的母子性命，或用於胎死腹中的處理等；産後疾病種類繁多，發病率高，玄悦創立鈎胞、禁暈、遏崩、納腸、收宫、復肛術六種手術，以治療各種藥物力所不及的疾病。以上由賀川玄悦發明的十三種手法術式，除回生術和鈎胞術外，其餘均有具體的操作方法描述。回生術用於救治横産，鈎胞術用以治療胞衣不下，二術的手法神妙深奥，難以筆墨記述，即使其門人亦不易登堂入室，故未載述詳細的操作内容。玄悦的産科手法治術療效顯著，這可以從此書後附載的子玄子治驗中窺其一二。例如，「一婦難産，兒腰已下不能出也。子曰：兒死矣，且其腰偏大，故不出耳。爲出之，亦得不死。」書中治驗均未説明具體的手法，但從其療效的記載中，亦不難看到賀川玄悦産科技術之精湛。

《子玄子産論》的另一特色是化裁改良中國古醫方，用於産科疾病的治療。經筆者粗略統計，卷一妊娠疾病的治療方藥有：洞當飲、龍騰飲，治療妊娠吐血衄血或卒然胸痛；大補湯，治療妊娠溲黑血；第一和劑湯方，治療妊娠苦於心下氣血上逼；折衝飲，治療妊娠四五月下血塊；膠艾四物湯，治療習慣性墮胎；虎翼飲，治療心下氣上逼而嘔吐；第三和劑湯，治療妊娠飲食停滯，嘔吐下利；龍翔飲，治療煩躁、口渴、浮腫等；牡蠣湯，治療孕期遺精；玄英湯，治療轉胞；第四和劑湯、青陽丸，治療大便下利；朱明丸，治療妊娠腹滿；作醴方，治療孕期淋證。

卷二用藥物治療分娩疾病可見兩條：生肌完膚散，治療分娩陰裂；若臨産燥屎害於産道，則用蜜、膠飴、膏油之類治之。

卷三用治産後疾病的方藥爲：鎮亢丸，治療産後癲狂；第七和劑湯，治療産後痿躄；乳生湯，治療産後乳少；八物湯，治療産後怔忡。其他如折衝飲、朱明丸之類，方藥的組成用法等詳細内容見載於本書卷一之中。

以上醫方多數是用中醫之方化裁改良而成，有些可以用於治療妊娠及産後多種疾病。其中，運用頻次最高的是折衝飲，在妊娠和産後疾病中出現多次，用治婦人瘀血諸證和産後惡露不盡等。此方有芍藥、桃仁、桂枝、紅花、當歸、川芎、牛膝、丹皮、延胡索、甘草等藥，爲桂枝茯苓丸合當歸芍藥散加減而成。玄悦在本書卷三中提出，産後三日，無拘諸外症與虚實，必用折衝飲。其餘方藥，如洞當飲爲小柴胡湯的加減方，龍騰飲爲三黄瀉心湯加川芎，大補湯爲四君子湯合四物湯加減。總體上，玄悦運用的産科病治療方藥，以中國醫方的變方爲主；湯劑和丸劑共用；藥味較少，如青陽丸僅黄柏一味，朱明丸、作醴方由兩味藥組成，藥味最多的大補湯及第一和劑湯方有十味藥。玄悦在卷一提出産前疾病的治療，應當「隨症治之，用藥勿拘俗戒。凡有其症者，雖毒藥無傷。若遲緩不治者，産後三四日必復大發而不可救矣；産前十日而病愈者，則不再發矣」；卷三對産後疾病的治療，「凡産後用藥，勿用香竄之劑，以其血弱易奪也」。

在《子玄子産論》書末的「附録子玄子治驗四十八則」中，有較多用方藥治療産科疾病的案例，反映出賀川玄悦所化裁改良的醫方臨床療效較高。如用折衝飲治妊娠八月大出血不絶，取得可觀療效；以正方第三之劑加羌活、當歸療産婦八日大便燥結、半身不遂，用藥十四五日後痊愈。治驗中出現的部分方藥，未見載於卷一至卷四正文，如正方第一劑、正方第三劑、正方第六劑、正方第八劑、礬石湯、芩連飲等。可見，賀川玄悦的臨床經驗方不止正文所載之數。正文所載第一和劑湯、第三和劑湯、第七和劑湯，此和劑湯系列是否即醫案中的正方系列醫方，有待進一步考證。

綜上所述，《子玄子産論》是賀川玄悦畢生研究産科的理論結晶及臨床經驗總結。全書對妊娠、分娩、産後各個階段的醫學理論、治療術式和治病方藥的記載較爲完備，且以挽救産婦、胎兒性命爲首務，在産科臨床方面療效卓著，具有極高的臨床應用價值。

四　版本情況

賀川玄悦的《子玄子産論》成書後影響極大，流傳較廣，傳本衆多。此書初刊於日本明和二年乙酉（一七六五），至安永四年乙未（一七七五）經考訂後再版，之後有多種鈔本和刻本流布於世。賀川家正係八代子達（文煥），於嘉永六年（一八五三）將賀川玄悦《子玄子産論》與賀川玄迪《産論翼》一同校正後刊刻行世。❶

《子玄子産論》現存的幾種鈔本，今藏於日本九州大學圖書館、東京大學圖書館、東京大學圖書館鶚軒文庫、無窮會平沼文庫。在刻本之中，明和二年（一七六五）刻本，現藏於日本國立國會圖書館白井文庫、京都大學圖書館、京都大學圖書館富士川文庫、東京大學圖書館、東京大學圖書館鶚軒文庫、

❶〔日〕杉立義一．賀川玄悦と賀川流産科［J］//大塚敬節，矢數道明．近世漢方医學書集成：第一〇六册．東京：株式會社名著出版，一九八三：三二．

東北大學圖書館狩野文庫、石川縣立中央圖書館、大阪府立圖書館、大阪府立圖書館石崎文庫、德島縣立圖書館、西尾市立圖書館岩瀨文庫、船橋市立圖書館、成田文庫；安永四年（一七七五）刻本，現藏於日本九州大學圖書館、京都大學圖書館、早稻田大學圖書館、東京大學圖書館鶚軒文庫、德島縣立圖書館、東京都立日比谷圖書館東京志料、杏雨書屋；嘉永四年（一八五一）刻本，現藏於日本京都大學圖書館、京都大學圖書館富士川文庫、京都府立圖書館、東京都立日比谷圖書館加賀文庫、宫城縣立圖書館小西文庫、杏雨書屋、乾乾齋文庫；嘉永六年（一八五三）刻本，現藏於日本國立國會圖書館、京都大學圖書館、神宫文庫；另有刊年不詳刻本，現藏於日本岡山大學圖書館池田家文庫、大阪府立圖書館石崎文庫、市立刈谷圖書館、牧野文庫等處。❶

本次影印采用的底本，爲日本國立國會圖書館白井文庫所藏安永四年乙未（一七七五）刻本（此本未被著録於《國書總目録》中）。此本藏書號爲「特1—871」，四卷，分爲乾、坤二册，卷一、卷二在乾册，卷三、卷四及附録居坤册。和式四眼裝幀。乾册封皮題寫「子玄子產論　乾」，内封書名脱落，僅剩一個「乾」字；坤册封皮及内封均題寫「子玄子產論　坤」。「乾」册扉葉刻有刊年、書名和刊刻機構名稱，作「安永乙未考訂／產論／平安濟世館藏版」。卷首有明和二年乙酉（一七六五）山脇橘陶「子玄子產論序」及「子玄子產論目録」。每卷之首均署書名、卷次。卷一之首書名、卷次下有著者和校正者姓氏。卷四之末爲山脇格（叔光）所輯「附録子玄子治驗四十八則」。附録後有賀川子啓（玄迪）《產

❶ 〔日〕國書研究室：國書總目録：第四卷［M］．東京：岩波書店，一九七七：五四．

論翼》的出版廣告，即「産論翼　賀川子啓先生著　全三卷/附治驗　水户醫官原玄貞撰/嗣出」。全書正文烏絲欄，每半葉十行，行十八字。版心白口，上單魚尾。書口上方題寫書名，中部刻卷次，下部有葉碼。正文漢字右側有小字日文送假名，個别葉面有眉批，書中以「。」句讀。書末刊刻牌記鎸刻「明和二年乙酉秋八月……發行」的刻書時間及出版發行機構名稱與地址等信息。

如前所述，《子玄子産論》記載婦女妊娠、分娩、産後各個階段的醫學理論及治療方法，收録六十餘種婦産科疾病，分述臨床病候、病因病機、治療方法；發明各種手法技術，内外并舉，湯藥合用，尤其重視産科手法技術的操作與運用；化裁良方且用藥輕靈，以挽救産難母子生命爲急要。書中闡明正常胎位，創立十三種賀川流産科治術，挽救了衆多産婦和胎兒性命。玄悦的産科學説和技術經其後人、門人推廣改進，形成「賀川流産科」一派，對後世日本婦産科學産生了重要影響。此書雖爲小部頭醫書，却内容豐富，理論、治法（手術加方藥）、醫案俱全，堪稱具有重要臨床運用價值和研究價值的産科佳作，值得中醫婦産科臨床醫者參考借鑒。

何慧玲　蕭永芝

子玄子産論
乾
871

27.7.11

特 1
871

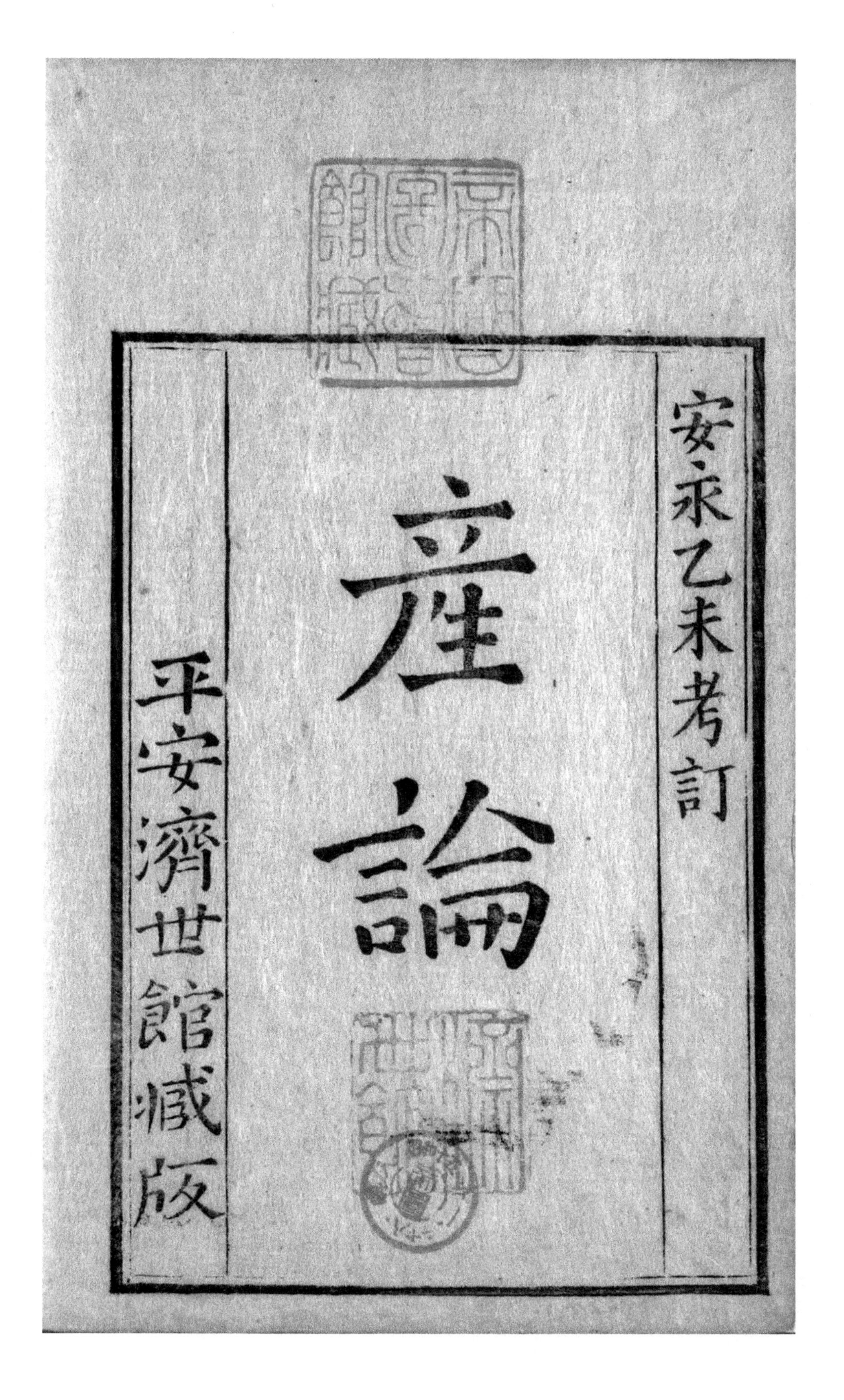
安永乙未考訂
產論
平安濟世館臧版

子玄子產論序

古醫之道失傳庸陋之學日興漸毒流滲而無復異論矣伏惟本邦昇平醇化之所嚮上自王公大人下迨士庶人厚生壽安之欲膠固於心乃僥倖之徒務味世路故作老態呴愉補益以鉤人意而

意相投黨遞驛以掩跡分毀逞己
之欲益爲重糈也是故生無輩外
之聞炙無一書之遺徒與蚊蚋同
域而浮過日月已然而時乘順運
身援機路豐衣螚食晏然而甘瞑
於一世也此風一與後游蕩亡賴
之徒逐臭慕羶髡形儒服妄馳逐

聲利司命之大任卒以爲棄物之
苑囿不亦哀哉有志之士所以長
大息也我先君東洋先生痛吾技
之頽壞排闢世醫以立古醫道矣
余也少小與聞之尚矣既而聞城
南一貫街賀川子玄翁者善鄭產
之術然其事奇險幾乎誕離焉亡

幾先君逝矣余小子嬛嬛在疚益
恐斯道之荒廢困徧交有聞之士
尋繹撮要以欲建纂修集成之業
也及此時翁之名益顯遂介以得
見翁爲人忠實任氣劬以鍼術爲
業大見推用會其鄰家有横産者
衆醫束手主人謀之翁翁有奇搆

救之於焉慨然謂大凡橫逆產者究非藥石之所治矣乃淵慮沈思益推明其術而其業大成矣槩其術從古所無而其所識發亦拓開由來之陋習徹然睥睨古今自以一家樹立也實可謂曠古一人哉而有貧窶孤寡之疾病即必匍匐

就事尚且爲之施與必救其急患
卽雖貲富與載之招有毫髮不容
於其心則冗猾不肎顧焉又見華
言巧飾之徒則煮燎以弄之亦詬
厲以鋤其趣操焉以故人或稱之
爲狂爲癡而能知之者如子之慕
慈母也此蓋與世醫之壤壤務味

世路衒售虛技者異而名聲所以
藉甚也近者著其所持論及治法
藥方四卷名曰子玄子產論請序
於余余時應若狹侯之求赴小濱
診理旁午不遑筆研雖然以余與
友盟加有啓沃之誼不可以辭焉
因姑記其梗槩表白其操行與世

醫浚絶而鴻業所以大成者見此

書者攘棄自來之陋弊蕩滌流俗

之垢穢取之左右以期要於功實

之上則古醫道之崇蓋亦可以裨

益云

　　昔

明和乙酉秋八月

東都醫官平安橘陶書于若狹之

客館

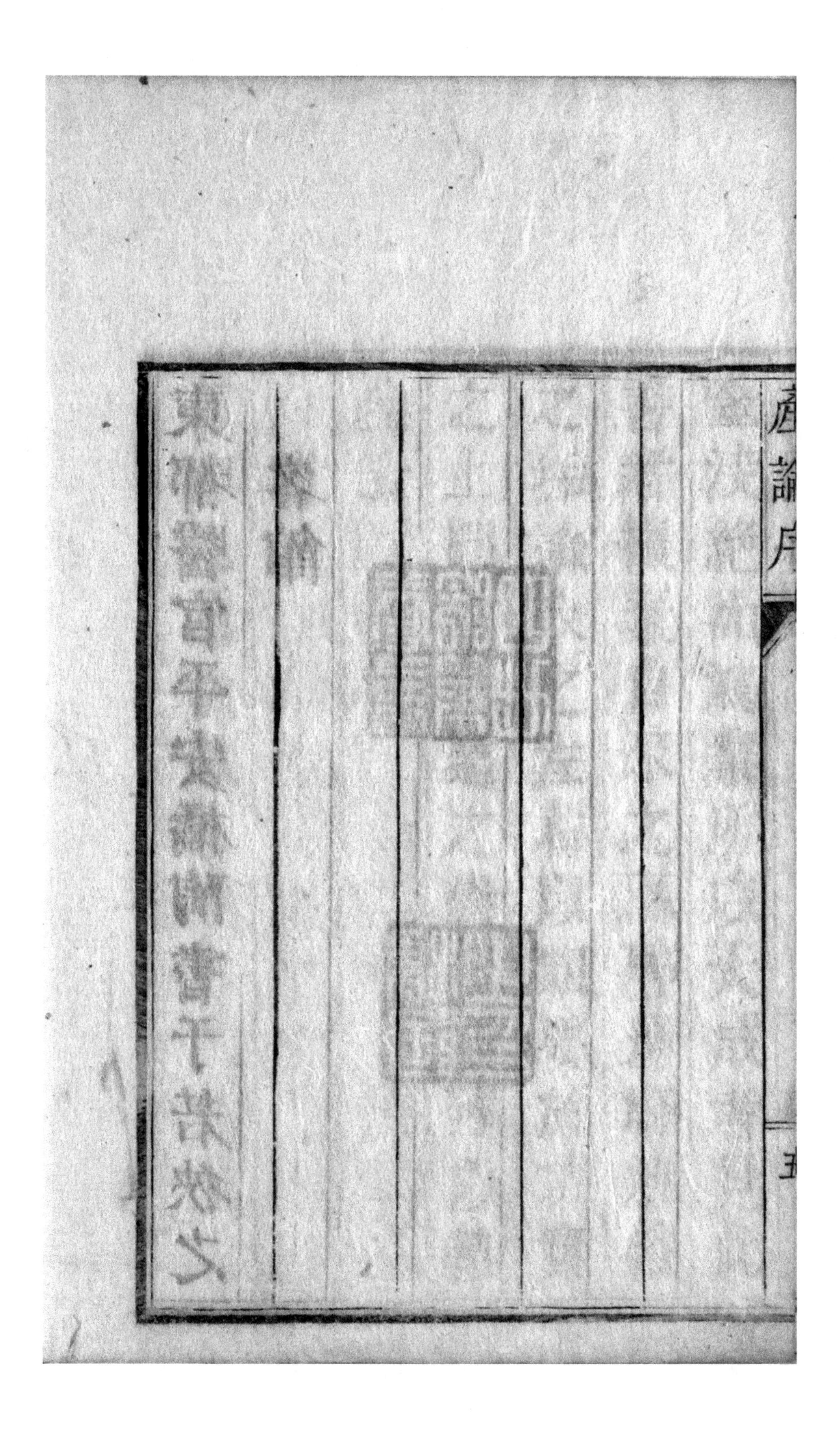
産論序　五

東都醫官平安藤惟寅書于若狹之

子玄子産論目録

卷第一

卷第二

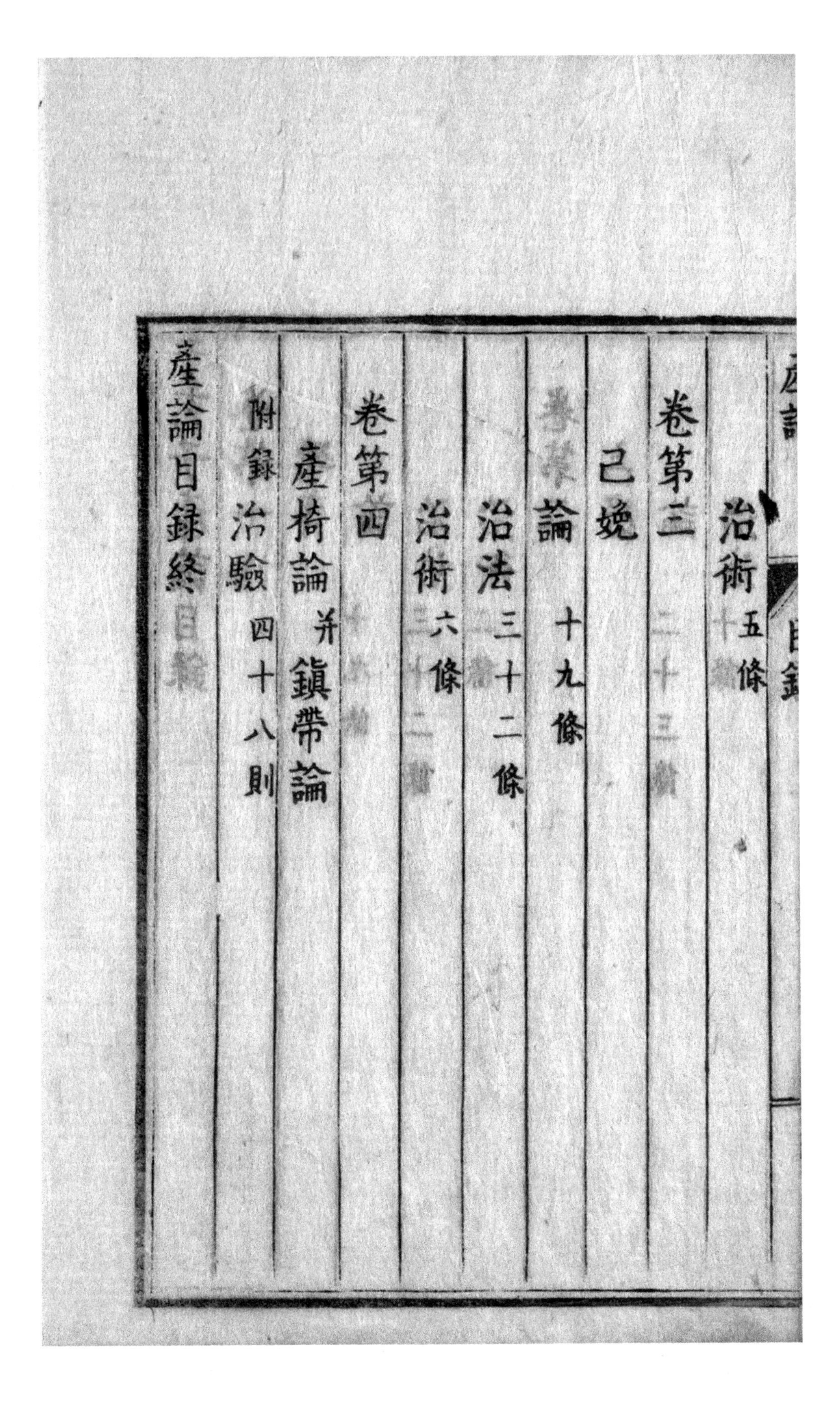

產論目録終

子玄子産論巻第一

皇和近江州彦根賀川玄悦子玄著
男　玄迪子啓
門人　山脇格叔光　仝校

孕育

論曰。婦人受孕。經畢後十日之間。為其候矣。過此已往。後經復動。不能作孕也。其免之期。初孕者。滿三百日。則免。如經産者。二百七十五日。折衷其旬而計之。可以不失其大要焉矣。

始孕三旬。則病阻。蓋以後經不能行。而及期病也。或頭微痛。或心中憒焉。或解惰不欲執作。至四十五日若五十日益熾其大危其人脉數惡寒發熱頭痛口渴嘔吐咳逆上氣不食腹痛下利耳鳴煩悶或欲噉鹹酸果實多臥少起其疑似疫者當按三部而後決焉

經畢後七十五日候孕與否可決危孕者其指頭之脉或倍於寸口氣衝之脉或倍於寸口是謂三部之脉

按三部而不得決者候之腹右手循鳩尾而捫而下之至于天樞左手起自橫骨之際微推而上之則臍下任脉之經豚豚然有物起其指下

按之隱然有氣力焉者乃娠也。凡按腹者候之肌膚之間。故其手宜輕。否則胎氣逃散。不得見矣。輕而捎下之而臍下之肌膚礙指焉者乃娠也。凡孕皆在横骨之際。大抵始身過七十五日。則見其大僅如獨栗子。但又須兼按氣衝乃決之矣

左腹下為血室。右腹下為委食之府。故如血塊腹脹者率居于左邊而按之或有數塊累累焉偶當任脈者亦切按之其物凝然膠結。愈深愈固。可以下按而決矣。凡此所云左右分屬之説。

雖出於古人亦躬所實驗。數治產婦事有良然
故按腹右得者定為燥屎左得者定為瘀血必
無不中者
世常以乳頭紫黒卜之姙否。然而殊有不然者。
嘗見一婦類孕乳頭黯色又能出汁而其實血
癥者。故不可一例也
姙娠之形類血塊腹脹者。不可不審別也假如
四五月不見其經者當問其經嘗多少也。即曰
常多者姙娠也。即曰常少者又當依法按其腹
按後腹形頗小者是血塊病也。假如六七月不

見其經者。當按其腹。當神闕有物應其手而横骨之際任脉之經。其膚圓輭而渾渾然切之則動氣應其指者妊娠也。或雖於横骨際已毋有而按其腹又弗覺氣力者。然而氣衝之脉甚數。及臍下之膚礙指焉者妊娠也。假如八九月不見其經者。當試令其人仰臥仍不轉側而直起座。若能之者是非妊娠也

凡婦人之腰形必拗曲而其内宏蓋是天設受胎之地。故與男子之腰形悄直。内無容受者不同。

產論　卷之一

古來論胎孕之狀皆以為妊娠十月子頭向上
及將生則轉身而下頃余又閱紅夷所傳內景
圖亦畫胎孕之形一同其說乃知傳謬誣真非
特漢土也夫彌月之胎其大幾何子宮之中其
寬幾何信使迴轉理當破裂豈非大謬惑者與
今唯據實如法按之當自知彼非是大抵五月
之後腹中胎大如瓜必背面而倒首其項當橫
骨上際而居焉其胞衣則蓋于胎之尻上而當
母鳩尾之下至臨月按之可得別其體貌而盡
矣古人又謂其縮手足而居者亦非是也自其

背而採之其左右足膝皆張而旁出則膝是其
面作箕股或結趺也如其手膊則並展其臂而
常自依脇旁則未嘗縮手足也故生子頭上耳
後橫斷紋乃橫骨當嚙之痕也
如逆生者其孕本亦背面而上首胞衣蓋乎兒
膏肓之上故其生遂自足踵而出也蓋古時未
知其肧胎之初所已倒錯也而以臨産遽變者
妄論耳
凡妊娠之形尖上者必逆産尖下者必順産凡
所謂順逆者並皆以世所常有者謂之順反此

者謂之逆也下皆倣此

凡攣胎一側於左而倒首向下一側於右而竪頭向上其生也左先右後故後者必逆生其胞衣各一是為攣胎正法其奇者或駢首向下共一胞或雙皆上首共一胞胞皆大如盤是為攣孕奇法獨其雙逆胎者難達而死而罕生者

凡任脈窪成一道者攣胎之候

攣生或男女同孕或純男或純女余所識家每歲孕而攣生又必一男一女凡五產皆然又嘗見一婦坐草視其所下乃流產之胎如孕未足

七月者。而舉體尚冒膜未脫。後三日還産。滿月之胎。而其子今尚無恙。蓋天下無所不有矣。

凡妊娠百二十日。而四肢之形具。未滿者但有胞而形圓。譬如獨栗子。而白膜包之甚厚。蓋嘗遇傷産婦臨是物者。三視之。其内但有五釆。蓋三剖皆同云。由是觀之。謂人非五行之秀氣者。吾不信矣。

有品胎者。余嘗見之者二人而已。故其法未詳。但其大略。猶如擧胎之法。而其所生之兒。率不育已。

或問男女之辨。余荅曰。不知也。問左男右女之

說曰。非是也。凡孕皆當任而居中。為物所壓則
左右側。其右者兒之頭居焉。左者兒之下身居
焉。

妊娠禁伸脚而寢者。其意盖恐其臥肆體則產
致橫難也。然檢漢人古醫籍並亡是說。而雖
本邦古名醫亦未聞有此議。則知此言徒出近
時兒女之臆見者而偶然傳承遂成是陋習者
耳。不然其言之害事理者。亦莫甚焉。何者凡孕
胎必當任而居中。而今屈脚而寢則肚體必曲
撓內縮。此為其胎難居中矣。且如本邦婦人

又加之以鎮帶束其上。是制其上而戾其下也。

胎欲不欹斜，豈可得乎哉。故令孕婦之動致橫

產者，率皆夫二者之貽禍。識者不可不力救辨

正也。

妊娠禁食川鱗，亦是近來始有此陋習。竊繹其

意，蓋惡流產而忌之也。夫傷產自由母氣不足

與物傷其胎而有之。豈川鱗之所能為乎。蓋余

壯及今年六十有七歲，其間日治妊娠，遇有此

輩必強食之，力為一世除之謬惑，而未嘗遇所

害也。大抵一切禁忌，未嘗非庸惑之流也。

產論　卷之一

凡產前多房，必產後病蓐勞，是為妊娠之大戒矣。

凡妊娠當忌屢浴，則腠理開而風冷襲焉。凡妊婦之受冷者，浴也。其他無所受邪，胎氣實於中也。

病候曰：經水時下，或不絕，或胎動而水下，或欲墜者，胎失其處而動經，若膀胱也。至甚動經脈則寒戰發熱而胎墜。

測法曰：病得之交接而壓其胎。

治法曰：整胎之術主之，宜第十和劑之類。

病候曰吐血衄血或卒然胸痛者

測法曰病得之盛怒而其氣暴逆也

治法曰洞當飲主之兼用竜騰飲吐血甚者

別與藕汁

洞當飲方

柴胡　黄芩　黄連

茯苓　半夏　生姜

青皮各五分　甘草一分　芍藥一錢

右九味以水二合半煮取一合半服

竜騰飲方

芎窮　黄芩　黄連各一錢

大黄五分

右以麻沸湯一合漬之須臾絞去滓頓服

病候曰孕婦左腿痛

測法曰有瘀血也數產而後或病於左初則不病

病候曰溲黑血

治法曰產後療之可也折衝飲主之

測法曰溲黑者腎傷也溲血者内熱也凡諸血不由戸者不害於孕甚則危

治法曰。大補湯主之

大補湯方

黄蓍　人參　白朮

茯苓　當歸　芎藭

芍藥　桂枝各五分　乾地黄一錢

甘草一分

右十味。以水二合半煮取一合半服

病候曰藏躁悲傷者。或善怒者。産後不眩冒則

病狂

治法曰。甘麥大棗湯主之方見要畧

產論

病候曰。若心下逼者

測法曰。世醫率謂是胎也。余屢驗非胎而唯

血氣上逼者甚多矣。如胎絶橫骨而上則徃

徃難救。其得整胎而復者十僅二三而已。

治法曰第一和劑湯主之兼用救痼術按之

而止術見後

第一和劑湯方

附子　白朮　黄耆

芍藥各一錢　當歸　乾薑

芎窮　茯苓各五分　桂枝一錢

甘草一分

右十味。以水二合半煮取一合半服

病候曰。妊娠下黄汁或如赤豆汁

測法曰。産門下之者胎死也

治法曰。第一和劑湯主之方見前

病候曰。妊娠四五月下血塊

治法曰。當剖視之恐是傷産也已知傷産當復檢胞衣已下與未下者與折衝飲但下血塊者乃知非是傷産也。

折衝飲方

芍藥　桃仁　桂枝各一錢

紅花半錢　當歸　芎藭

牛膝各八分　牡丹皮　延胡索各五分

甘草一分

右十味，以水二合半，煮取一合半，服。

病候曰：婦人每孕三四月必墮胎。

治法曰：膠艾四物湯主之。

膠艾四物湯方

當歸　生地黄各三錢　芍藥二錢

芎藭一錢五分　艾葉三分　阿膠三錢

右六味。以水二合半煮取一合半服

病候曰子癇

渕法曰其人七情鬱結過度則內火熾盛熱薫大腸怒撣憤起。上動委食之府是為子癇故其病必右

病候曰過期不產者

治法曰救癇術主之術見下

渕法曰經行不來者久之。而忽又受孕也

病候曰。心下逼而嘔吐者

治法曰。虎翼飲以伏龍肝汁煎服

產論　卷之一

虎翼飲方

半夏八錢　茯苓四錢　青皮一錢

生姜一錢半

右四味。以汁三合半煮取一合半服

病候曰。妊娠胎動則足痛而痿

測法曰。妊娠過食。若物壓其胎則動甚者痛痿。但動未至甚者至八九月旋自止矣

治法曰。整胎術主之術見下

病候曰。飲食停滯。或吐或下

治法曰。吐則虎翼飲。瀉則第三和劑湯主之

虎翼飲方見前

第三和劑湯方

白术　黃蓍各一錢　乾薑五分

芍藥一錢　桂枝一錢　半夏一錢

甘草一分　茯苓五分

右以水二合半，煮取一合半，去滓溫服

病候曰。煩燥口渴浮腫有熱而大便秘或麻痺者

治法曰。龍翔飲主之

龍翔飲方

麻黃一錢　大棗一錢　蒼术一錢

產論　卷之一

石膏三錢半　甘草一分　生姜一錢

右六味。以水二合半。煮取一合半。服。

病候曰。孕而遺精

測法曰。得之子宮受寒冷也

治法曰。牡蠣湯主之

牡蠣湯方

桂枝　澤瀉　龍骨

牡蠣各三錢　甘草一分

右五味。㕮咀。以水二合半。煮取一合半。服。

病候曰。轉胞

治法曰。玄英湯主之

玄英湯方 丸則亦名玄英丸

乾地黄一錢 薯蕷五分 茯苓一錢

山茱萸三分 牡丹皮三分 澤瀉一錢

牛膝八分 車前子五分 桂枝一錢

附子八分

右十味。以水二合半煮取一合半服

病候曰。大便下利

治法曰。第四和劑湯主之兼用青陽丸

第四和劑湯方

附子　白术　黃耆

芍藥各一錢　桂枝一錢　乾薑

茯苓　半夏各五分　甘草一分

右九味。以水二合半。煮取一合半服

青陽丸方

黃栢熬二兩燒二兩生二兩

右糊丸每服一錢匕。一晝夜。數服以大便利

黑爲度而止

病候曰。鬼胎血塊病

測法曰。或在臍下之左。或章門邊。形類娠六

七月者按之其物似有尖稜矣
治法曰折衝飲主之方見前
病候曰渇病難治
治法曰專以天花粉與之不與他食而愈
病候曰妊娠腹滿
測法曰大便燥結也
治法曰朱明丸主之
朱明丸方
蕎麥一兩　大黄三兩
右為末糊丸每服一錢

病候曰。妊娠腹内覺如鐘鳴

測法曰。大便燥結，而氣逆也。世蓋謂兒哭於腹中者妄矣。夫兒在胎者。其頭與手足皆包白膜。安得作聲。故其臨生也。其膜内破而裏漿外迸。乃亦有生尚舉體被覆者。而人爪其頷下之膜。而發露其唇。然後兒得一啼。而舉體之膜自破裂而脫。故兒未嘗哭於腹内也。

病候曰。右脚痛不可忍。而不能行歩者

測法曰。胎之處偏也

治法曰。整胎之術主之。但痛者朱明丸主之

術見後方見前

病候曰。孕而顛仆者

治法曰。整胎之術主之

病候曰。小便澁滞者腫満

測法曰。得之數浴下身而浴後温己則寒也

治法曰。玄英湯主之。方見前丸孕婦忌數浴。

浴者無久處之。孕至九月。法當斷浴。但以熱

湯濡巾拭之可也

病候曰。孕而淋

測法曰。以浴下身得之

治法曰。治淋醴主之。兼與玄英丸方見前

作醴方

麴四合　白砂糖一合

右以水八合。煎如飴狀。一晝夜溫服

病候曰。孕婦頭暈甚者。不治

病候曰。妊娠五六月傷產者。其痛必自腰間八髎。發而陳疼。而肚下痛甚者是也

病候曰。熱利或水腫病其胎多墮

病候曰。熱病胎死于腹中者。必下血

病候曰。妊婦遽苦腰間重若負任者。胎死也。

病候曰。時行病及其佗雜病

治法曰。皆隨症治之。用藥勿拘俗戒。凡有其症者。雖毒藥無傷。若遲緩不治者。產後三四日必復大發。而不可救矣。產前十日而病愈者。則不再發矣

治術曰。凡子在胎。其項當橫骨上際。而倒豎。而居焉。而及九月也。漸陷而其頭入於橫骨之中。故腹橫骨之間按之。而不可容指。則不踰十日而免。故子胎者。日動月下。然後就免矣。若或妊婦為物所觸壓。或遇他事故。內受驚恐。或飲食

產論　卷之一

過度自動其腸胃則胎常欹側悶動而不橫產
則子死於腹中矣故不可不時時按腹正其所
位位常不失其正則雖至分娩之時萬無一害
矣其整胎之法先使產母解帶仰臥消息半時
許豎徐用兩手就之初自胸腹按摩起以次下
及右邊小腹凡妊娠已五六月者其胎大已如
瓜當任脈之經橫骨之際而居焉而左為血室
常蓄氣血右為委食之府為空虛故胎動輒易
偏右側而欹斜甚者或當得之小腹橫骨之際
豎既審按以揣其胎畢膝頭攙產母之左脇下

以此為用力之地双手略提其胎輕輕用力推送於任脉下之本位但孕婦有燥屎者亦須分理排定屎者當右傍背小腹之間重按之有磊塊應手者即是也須用左手沿其內邊而指頭撥之以使不蔽其胎而却從其中間拘其胎以令內移不然則并推屎腸不成其功也推送之時用力不可粗暴作之當須臂頭重而指頭輕其右手當亦略帶按撫意務致中正為要矣已整胎畢却自小腹揹摩廻轉向腹前其中間留瓜跡大而安頻之數十回廼使產母起坐壂以

右肩緊依其胸而令產母兩手緊抱壓者之頸而壓以兩膝內挾持其膝以令產母體無敧側搖動。而後却用兩手指頭微用力挾脊骨循之。自第七八推。而按抑而下就其按下之勢使指骨節間有聲勢以使產母轉其志意向背後為之者一再次。却下用其掌側骨緊切相依仍用力拘勒。自背後腰眼。向小腹之前使相聚而廻轉為之者。五六十次。却又用其掌側骨附產母臀尻。圈轉撫摩者數回。至左右兩髀而止。凡產母用此法按之者。腹內鬱氣大開。絡脈自理而

所孕之胎亦自安其位矣苟能使子母任督常
不相離則胞胎牢固而臨產可以保免於橫礙
之難矣大抵子胎常自有包膜護之而橫骨常
亦津液濡潤雖乃用力推送決無所害傷請勿
以此類而生顧忌之心也姙娠五六月每旦作
之不懈者母子肥健長無殤折之憂家世奕續
永膺無疆之福矣
凡救子癎須急如拳漏沃燋不則死矣其狀大
類癲癇而發狂瘈瘲者是也其救法先使其婦仰
臥而豎以右膝臏抵於婦人左腹季脇以此為

其用力之地。却以右手。上推右不容穴。左手下按右章門穴。乃其手下必應有物如巨柱。憤動擗起。用力按之則止矣

子玄子產論卷第一終

通按下脹大而上挾小者為逆孕然此腹状順孕間亦有之蓋以其自右癥瘕而然是故難遽決但當診按得其兒下部在下者而後決之逆孕焉

子玄子産論巻第二

占房

論曰臨月先須事審診預辨順逆凡妊娠之狀以手按之腹中若有界堺其上張大而下狹小者為順孕即以手按横骨上其子頭陷在横骨中矣其下張大而上狹小者為逆孕即以手按横骨上其上際虛疏可容兩指則知難産也如其胎偏側而頭入右股者不治則知横産也

凡出生之兒自頂至尾骶長不盈一尺者必死縱無災害復不能育也如工匠尺準之者八寸

產論　卷之一

凡臨產之脉，宜浮數弦大，產難脉，亦貴按之而有力者。

世傳欲產之婦脉離經。然此與難經所云一呼一至曰離經者，義又似各別。余數驗諸臨產之婦，其脉形，真可以當離經之目者，數千人中偶得一二人。凡產事極易者，其破漿之後，脉或左右，或左或右，必沉細而滑，其子方免。寸口皆離絕，而入於指端，既則復於本位矣。疑乃謂此也。

有痛五七日而免者，其痛日下，至腰，或有痛乍起乍止而免者，其疼俄止者，慮子死腹中可也。

臨産[illegible]顔色青白其赤者危
其生也彼之時也其豈草根木皮之所能催哉
故世言催生藥者妄矣但臨産之婦服藥助其
血氣則或有是理
子戸既開漿破血下漿者包膜中水其色清冷
而粘類雞子白蓋内氣剛逼而繞壓其胎故包
膜中水先所束迫而并聚於子頭頂上而内氣
益搏手及産門則頭膜不復堪停積而自迸裂
也其水或五六度下者乃膀胱之餘泄而非膜
中之水也

凡破漿不來而產者被幞胎也破漿來不逆者倒產也

如臨產而小便利者子頭不在於橫骨中也非橫逆產則是其子已死於腹中矣故小便不通者爲子易免產矣然而死胎亦時有小便不通者醫宜臨時審候之也

凡臨產下水不止者為胎死之候然醫探之其子頭上微有動氣瞤瞤應於其指者猶為生胎如死胎則無動氣應於指者

凡痛在腰甚者為正產如初產婦痛只在腹而

不下於腰及肛門者非橫逆產則是其子死於腹中矣

凡臨產子將免即腰痛已止而肛門大痛或有挺出者坐草術詳之。

產婦力息及子將免則重沓而倍至其聲息後倍振大而產母每俯者為生胎矣聲息後却細微而產母每仰者爲死胎凡胎死者按腹無氣力而指若將陷矣診脉無力而形若將結矣

腰骨之橫而當臍下者謂之橫骨橫骨之餘曲而下趨迤會於股中者謂之交骨其交衝中間

相距者。男子三分。婦人五分餘。經產者一寸餘。是謂會陰交骨之前。為陰交骨之後。為肛門。入陰四寸。當肛門之上。子宮位焉。子宮長八寸。其口常向背後。而橫骨之下邊。正當其口。故及子將免也。子宮轉其口。而反向交骨。全闕而陰肉皆沒。會陰迯於上。而穀道後張。故子已出子宮。則其頭頂直下。倒竪于會陰。而及激轉跳脫。出產戶。即免矣。子宮之形。大類曲腰匏。而子已落地。則其口卷縮。却退入者四十餘而復于本位矣。子頭頂未出于子宮者。雖經二日。而未死已出二寸餘。難免者必死。為其卷口閉塞其口鼻故也。臨產子未免而胞衣先下者定為其胎已死矣。凡將分娩之時。兒欲生而不生產母亦力息數至而不可下者。有燥屎塞之也。探之其陰中近肛門。有物堅實如石。而礙其指背即燥屎也。蓋以子頭壓之。燥屎向前。故其產門脹痛益甚。當急用蜜塗指。入肛門導之。大便得通則輙免矣。平日苦秘結之人。必多有此事。不可不知也世之論產。率以謂子轉身乃生而終不知其未嘗轉身也。是以一切横礙偏倒之產。皆不知求其過於妊娠之初而一歸其罪於産婆之巧拙與用藥之遲速豈非可歎息之甚乎故如逆産或露一足者尚或可得救之而至如横産露手者乃以元東鎮帶制之令偏故其歪斜已甚者醫雖急按之而或不遽順直則兒胎必不得不死兒胎已死則母亦不可獨得活但當不得已而剡去之則或可得救之耳此吾之所以極歎息也

産母坐草不可太早必待其力息重沓而倍至一吶次而後坐之也不然則恐令産母體氣先

倦而免後失力也又切不可令產婦努力也
產母力息既亟陽氣全結并聚於上然後子乃
乘其勢下挺而生故初生落地其肌極冷其色
甚白撫之如水纔舉一聲則四體即温肌色成
赤其愈冷愈健若未啼其肌已温者率不踰三
日而死
兒在腹中肌骨極柔輭蓋分娩之際雖頭顱亦
壓匾而出及落地則忽然復形但如世所傳落
地見風則暴長者非是也
兒在腹中順逆皆背面及出產户男子必俯女

子臨出。必側戾而轉。既落地則仰。肚帶短者一尺。長者三四匝者。然未知其何以也。但世謂姙娠嘗顛躓者而後有此者妄耳。蓋數見免產其繞頸十七八。豈天下姙婦皆嘗顛躓乎。即如楊子建所言礙產者。以令推之。乃亦燥屎塞之爾耳。不然余未見天下有以臍帶絆其肩而為之礙產者也

盤腸產者。穩婆不知其實。強令努力。故脫其腸也。其產後腸脫亦強努力出胞衣故也。其產前腸脫者。以指推之。收諸產門上邊。令免產焉

病候曰。産婦嘔吐不止。氣上衝心者不治。

測法曰。子死也。

病候曰。露手而及臂若膊者不治。

測法曰。子必不能免而死。

病候曰。腸脱若肛脱若子宮脱。

治法曰。見後

病候曰。臨産不堪腰痛者。

治法見於後座草術

病候曰。交骨不開者。

測法曰。子宮能轉口則交骨必無不開之理。

其有不開者以子未臨而强令努力故子横冒子宮而出令其口反益深也

病候曰分娩陰裂者

測法曰産婆之誤也凡佐産者當取諸上邊而不可取諸下邊下邊肉脆子顚骨觸之必無不破生肌完膚散主之

生肌完膚散方

大蒜百錢燒存其性　輕粉十一錢　莾草五錢陰乾燒之爲灰

右三味以胡麻油調之塗其瘡上甚有神効

病候曰臨産燥屎害於産道者

治法曰。見于論條。蜜若膠飴輩治之。無則諸膏油皆可也。

病候曰。産不能自免者。

治法曰。先與參附之類。凡産難延日。若胎死見背。若見臂膊之類。必致令産母斃。不可不早時決意而救之也。其法醫踞小几。令産母安意解帶。倚蓐高枕。開股豎膝。脚底撑几而仰臥。豎亦展兩脚。脚尖承産母之兩臀。以其股間倚産母之兩膝。令不外倒。而後施其事焉可也。

病候曰。子已露半身。尚不能出者。

測法曰。子腰已下甚大也。又有脚股已下甚大如巨柱者。凡此類多死胎。死則不復能自免。豎必當有術救之也。余治產婦。罕見此二種。然數萬人僅一二。其產母皆因余救之而得不死。特識于此。以備後案云。

病候曰。臨產破漿後。猶下水不止者。

測法曰。子死腹中也。如子雖已死。而不見下水者。子頭塞橫骨之中也。其母必腹若股髀腫滿。凡子已死三日。則其頭腦率多自裂焉。

治法曰。同生術主之。

治術曰夫妊娠之治莫要於臨產而其間救護居十八而湯藥居其二焉故救護失術則湯藥無効矣然乃今之醫徒論湯藥之性而不知講救護之術至其產母坐草起居之宜與生子臨盆免生之候一任之產婆漫然不加省即遇其稍危難者瞠然疑阻坐視其子母而斃此豈救患濟生者之所為乎且夫世所有產婆者並皆孤嫠寡嫗之不得已為業者乃無知之一女子

而徒知滌浴拂拭之事而已。豈足與謀死生決成否哉。故救護之術之於娠娠之治也，不可不講者明矣。其術五。一曰坐草，二曰抒倒，三曰整横，四曰舉轡，五曰回生。

坐草曰：將分娩疼痛者，當使人以手常上下抑按其腰八髎穴以下，而爲之不休。既而其痛稍下，頻欲大便，則令之解衣坐草。其坐法亦宜分開足踵，全出尻外而坐。是時，豎先坐産婦之前，令其兩手憑肩嬰項，以舉體倚任之，而豎於是當以右手裹綿衣，進自婦股間，以其腕骨抵承

婦之尾骶骨而使坐之而其左手抱持婦每陳
疼至即以右手昂按迎起而左手緊抱舉上之
已得陳疼一再至後則當先去其綿衣以食中
兩指入陰探之以候其胎橫逆與否其法當先
向肛門而入指頭却轉向上探之是時子宮口
尚內歛兒在其中而頭尚冒膜探之若濡帛者
即膜也如出宮者則口已張開而子亦出頂雖
尚冒膜指頭易探即未出子宮者其膜中水漿
飽滿欲迸未迸使產婦腰股痛殆如裂壑當待
其張時爪破之水洩氣達則其痛減半母氣已

旺則分娩益易也。胞水已洩乃為免產之候。豎當自踞小几。以左右膝頭緊挾婦之小腹。使子胎無地欹側。仍又右手昂按。左手舉上。如前法。盖子出子宮。輙已直下。其頭頂倒撑產母會陰而穀道挺出。眼中火出。痛極脉移。則激轉跳脫而得出於產户。故世間產婦有因分娩致陰門下裂者。亦以其激轉脫出之時。產婆不加意按其肛門之過也。是故右手之昂按之者。尤為坐草之緊要矣。不可不審慎用其意也。其左手舉上之法。亦當要每舉上。必使產母下肚與豎人之肩髆相摩切微帶壓推之意。
前法或又用使産婆在産母背後按拒其穀道
無挺出竪在前兩膝挾小腹用兩手掌側骨自
小腹逼勒起頻頻爲之而相湊于神闕上而候
子已及肛門急使産婆疾以兩手指互編相連
自背後承産婦之下肛以腹抵當而微擧提之
則殊易達生也但疼痛甚者唯當用昂按
其二擇倒曰探之子宮中得子足踵者竪先以
手推入之仍使婦倚蓐高枕開股仰臥而後重
捫其足大指審知是左是右得左足者却更索

其右足得右足者。却索其左足。既齊得之。則以其手中指兩股間。而各挾捉其左右足。令無所滑脱。而後豎自聳其腰。據膝頭。用力急引提而拔之。即陰户不傷。而得免產矣。如或豎未至前子已露足。產婆亦已不能推入之。而至使露膝若股髀者。則不得復索其左右。而齊之。蓋緩之則產母不勝痛苦。尋必致斃。且其子亦難活者必矣。唯當急以綿衣裹之。而聳腰引提。各從其方拔之。如前法。則其一邊之脚。自隨之奮挺。而出。急用此法者。子母或俱全。若遲緩不決。或又

迪按子若臨出或一側戾乃鎖頤亦拒留于交骨間醫尤宜加意

不知其倒産初不可使轉生者也。則必因此事致子母兩斃。懊悔無及矣。如又如前法引拔之。而子已係死胎。項骨更拒留于横骨間者。當令婦俯首就地。開股蒲伏。而綿衣裹兒左手緊捉牽持。而以右手大拇指。不拘是頸是喉疾撲而下之。左手就勢齊時聳腰引拔。即得免産。凡此類並不可使其子沿陰門下邊而拔之。必令陰門下裂。當向陰門上邊而引拔之。則無所傷裂。所以必用聳腰也。又有探之。得子臂尻者。名曰坐産。當推入之後。按腹使其展脚。而後捉拔之。

如已死胎則依囘生術救之。

其三整横曰。探子宮中得手指若子元曲肱而肘見者。豎先以手推入之。仍令婦高枕而開股仰臥而後左手入子宮。按拒其所露手指若臂頭而右手就其婦之左邊小腹。捫得其胎用力推上之勢。令順正則子即正生焉。

其四舉攣曰。除雙逆外攣胎皆可得令免産。唯騈首向下者。探之令其頭少退者却在後而其頭少進者。先出焉。其法兩手各就婦之小腹而其應使在後者。自横骨際推而上之。應使先出者。自小腹上推而下之則易免矣。但其婦亦須高枕仰臥如前法。而其應使後出者之所位就令婦身差帶微側而臥尤為易得施功也其攣胎一順一逆者。亦各照前手法用之而免焉如駢首向下者。而胎已死於腹中分行而並下其頭各入兩股急難相湊至者。其法與生胎駢首同

其五同生曰。凡橫產露手已及臂肘若膊者。不唯其子不可得免而母亦必因之致斃如子未出而死于腹中者亦然於是有茲一術有微意

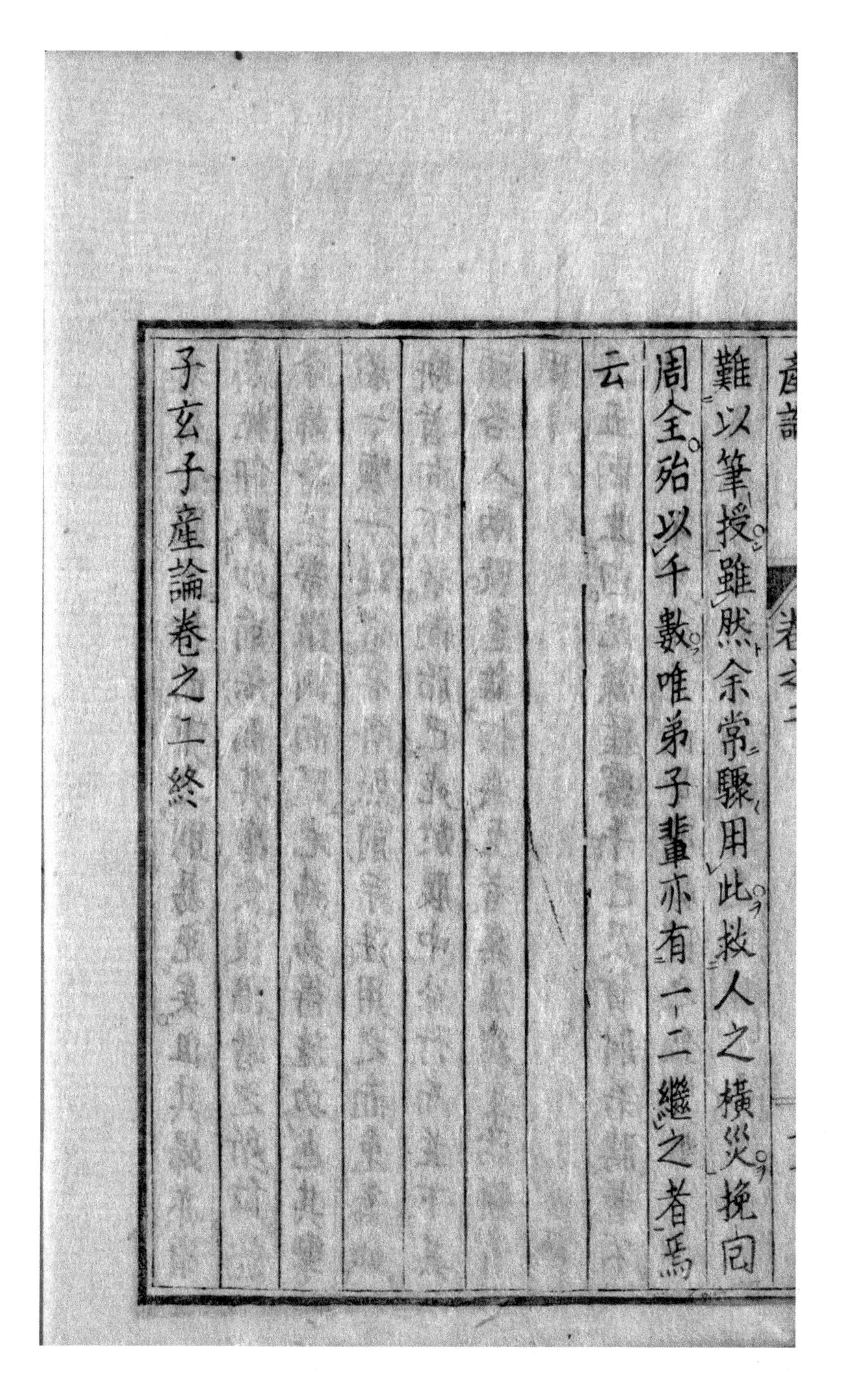

難以筆授。雖然，余常驟用此救人之横災，挽回周全，殆以千數。唯弟子輩亦有一二繼之者焉云。

子玄子產論卷之二終

持 1
871

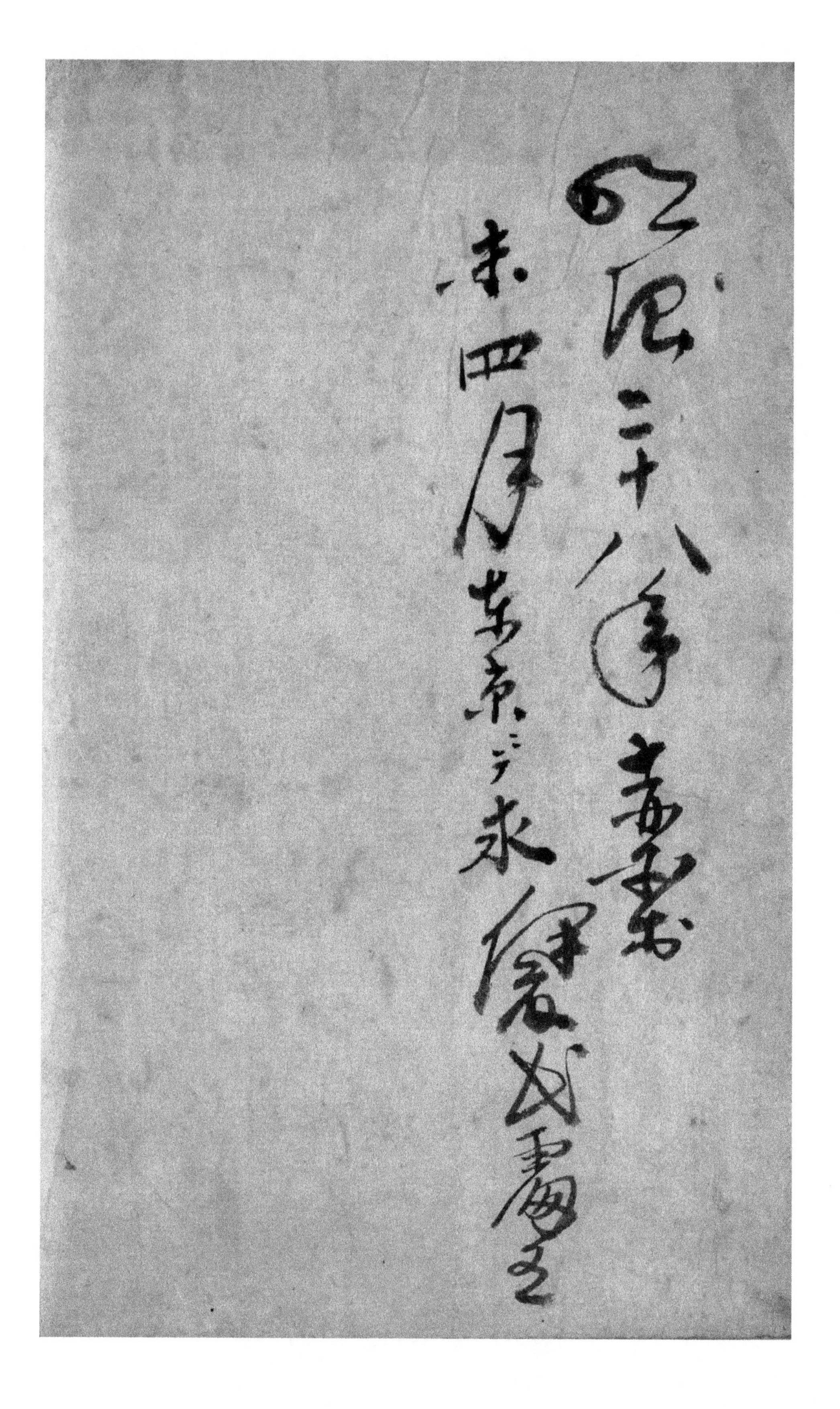

特L
871

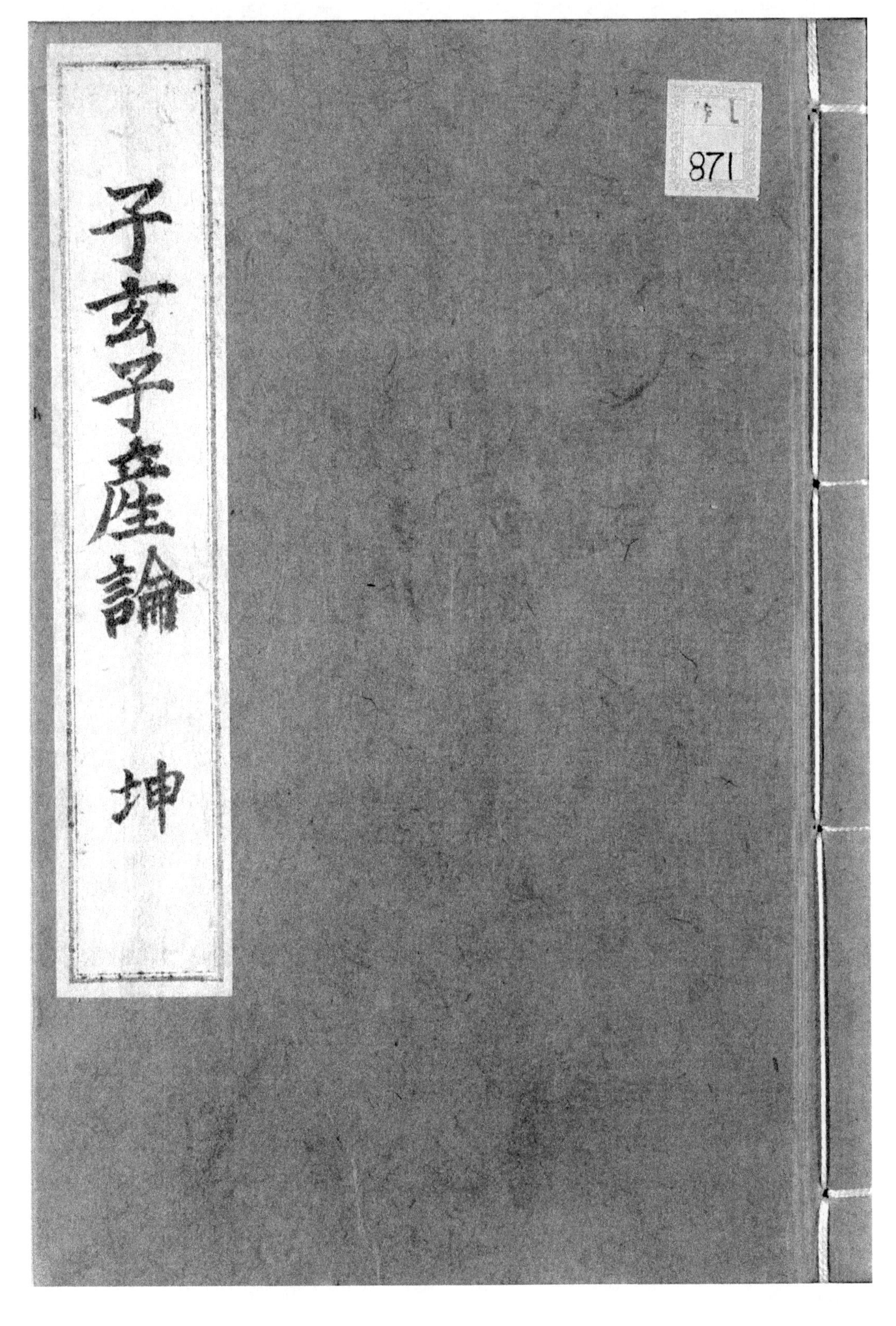
子玄子産論　坤
871

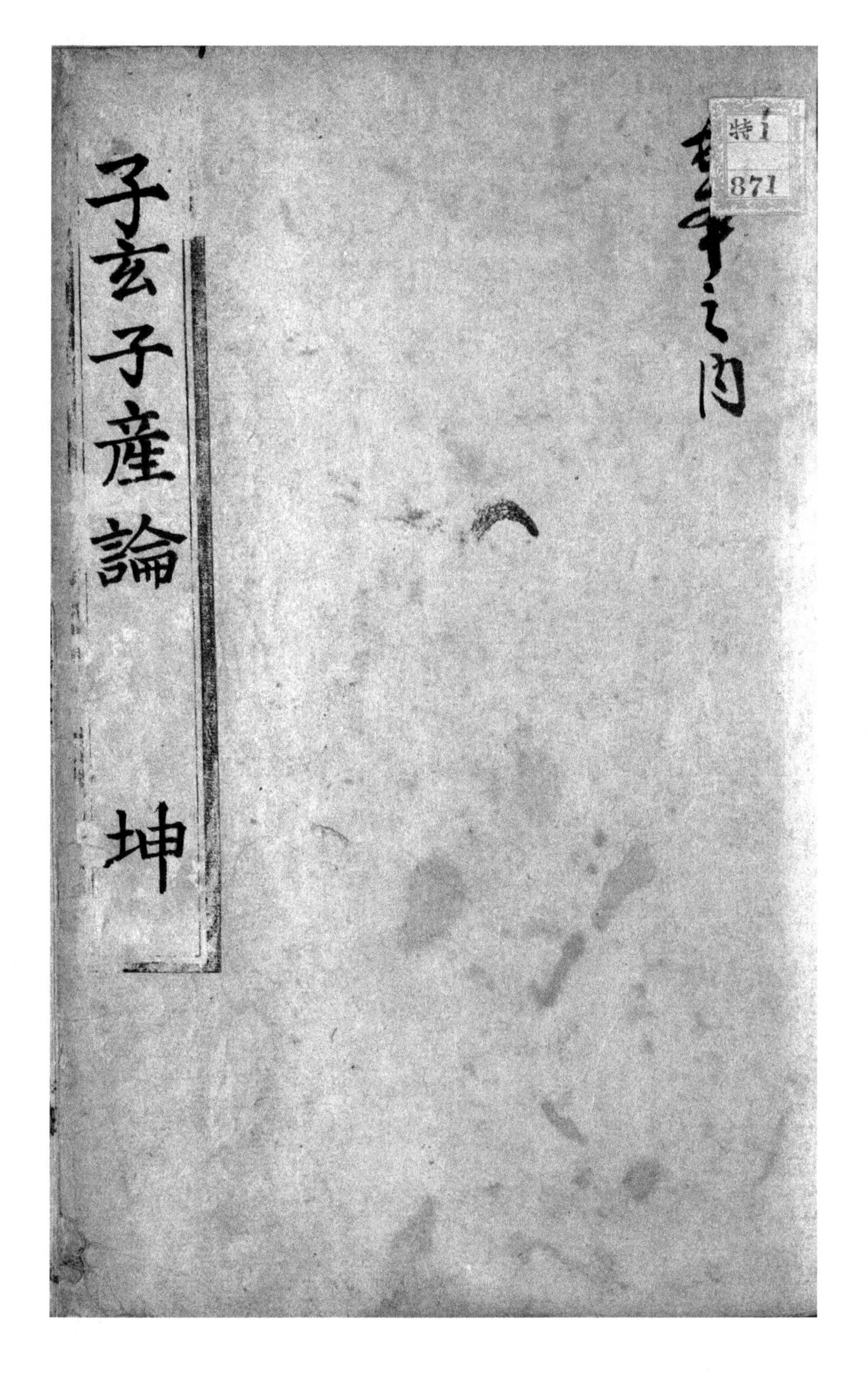
子玄子産論　坤
特1
871

長養館

子玄子產論卷第三

己娩

論曰俗斷臍帶必先急繫之以物墜住蓋恐其或上冲也殊不知胞衣本自無上冲之理也莫爲是拘拘者而可也又屬臍僅留三四寸斷之可也。

胞衣小者五寸大者八寸孿胎者一尺又余嘗見其堅如石者焉

胞衣夏月經一日輒糜爛如冬月者耐二日但二三日不得下者雖稍糜爛尚無甚害過此則

通按胞衣未當續兒所出而却留腹內者是韁帶牽之使其附帶處常膠固見以猶反向上也又有子兒後輙竪束腹帶固致難下者

必須用手法下之。不然貽禍不小也矣。

凡胞衣不下而豎爲下之者。其按腹之法。但當自其小腹按摩之。而切勿按其前腹。如誤按前腹者。則愈按愈縮。而肚帶之斷餘。恐復盡入腹中矣。

子既下。而胞衣尚在腹內者。其衣附蔕之處。猶反向上。胞衣依附子宮裏最高處。下之自有法。不知者妄摩其腹。則愈摩愈入。終不能下。此不可不知也。

凡產後三日。必用折衝飲。而無拘諸外症與虛

廻按產後暈又有以其鎮帶緊束故致之者不止起步故致暈也

實焉。惡露未盡者。百患立生。危甏可待也。慎之慎之。

腸脱已收後。欲小使者。必須用綿衣抵承而使溺其上也。又空分開兩踵。出尻外而坐。不然恐復出也。用第一和劑調理之可也。

產後發血暈者。率以分娩後輒起步自動。其委食之府。而瘀血之氣。挾之上逼心下。爾不爲輒起行者。血暈莫發矣。不可不知也。

俗習產後防風冷甚嚴。其愚謹者。至有塞隙墐牖者。往往見人家產後。戶牖密閉。中多設火爐以烈焰逼蒸。遂使產婦血氣逆煽。而致弗救者。不可不以爲戒也。產婦唯不可令其下身當風耳。其佗居處飲食。一從其平日而可也。

產後當禁白梅黑豆。蓋白梅酸收。恐使惡露難下也。黑豆之性能消藥氣。恐服湯無効也。

凡產婦分娩後。切無使起步。又切無用產椅。當倚蓐高枕而右側臥。則新產後可以保無不虞之憂矣。

難產而醫爲救免之者。蓐臥半時許。率多振身發熱。而氣急無懼也。不血暈故振身而氣急也。

多與蓐附故發熱也。

凡産後用藥。勿用香竄之劑以其血弱易奪也。

難産而醫爲救免之者子已出後當須候産母氣息已定然後更下其胞衣恐使母氣暴索也。

産後乳汁不出者。必待三十日而乳出焉。蓋舊瘀已盡而新血行也。

産後十四五日。當忌浴蓋新産惡露未盡血氣又虚。而浴則腠理大開虚邪必襲至與瘀血熱氣相搏。則其生禍害決非淺淺也矣多見人家守俗習陋規。産後六日鹽湯浴之浴後冒衣令

汗大出由是平穩之產婦。忽變成發狂讝語若
大熱發斑等惡症或遂致虛羸不起之病者。生
平所見者。不可勝擧矣。故余當治產婦他一切
禁忌。皆無所拘而獨於沐浴。嚴加禁防者爲之
也。產後八日當厚被覆下身以熱湯濡巾盡拭
去其汚痕。畢後又脫上體別拭之則身得清潔
功與浴同而賊風無所乘襲矣。

蓐勞有二種。一屬虛證一屬瘀血必十日後發
其病頭痛發熱而咳身體無所不惡其善食而
乳出濃汁者爲血虛如瘀血則血氣上逆其人

不食少乳。

産後十七八月。法當無經行。而其經將先期者。其乳汁必濃其七八月偶見者。多房而動其血也。

世醫或論血入衣中。張大不能下者妄矣。胞衣雖在腹中。亦必自縮小。不能張大矣其不能下者。常束鎮帶制之令然焉。産後亦當必禁帶而使勿用也。

病候曰胞衣未下而血暈者。

測法曰。難治者十居五六。

産論　卷之三

治法曰。先治血暈後下其胞衣。但暈發已過二時者死。禁暈之術見後

病候曰。産婦不起則不血暈而今雖不起而發血暈者。

測法曰。血熱盛而搏也。

治法曰。禁暈之術主之。與以折衝飲。方見前

病候曰。産後顛狂。

測法曰。敗血上衝也。

治法曰。鎮亢丸主之。

鎮亢丸方

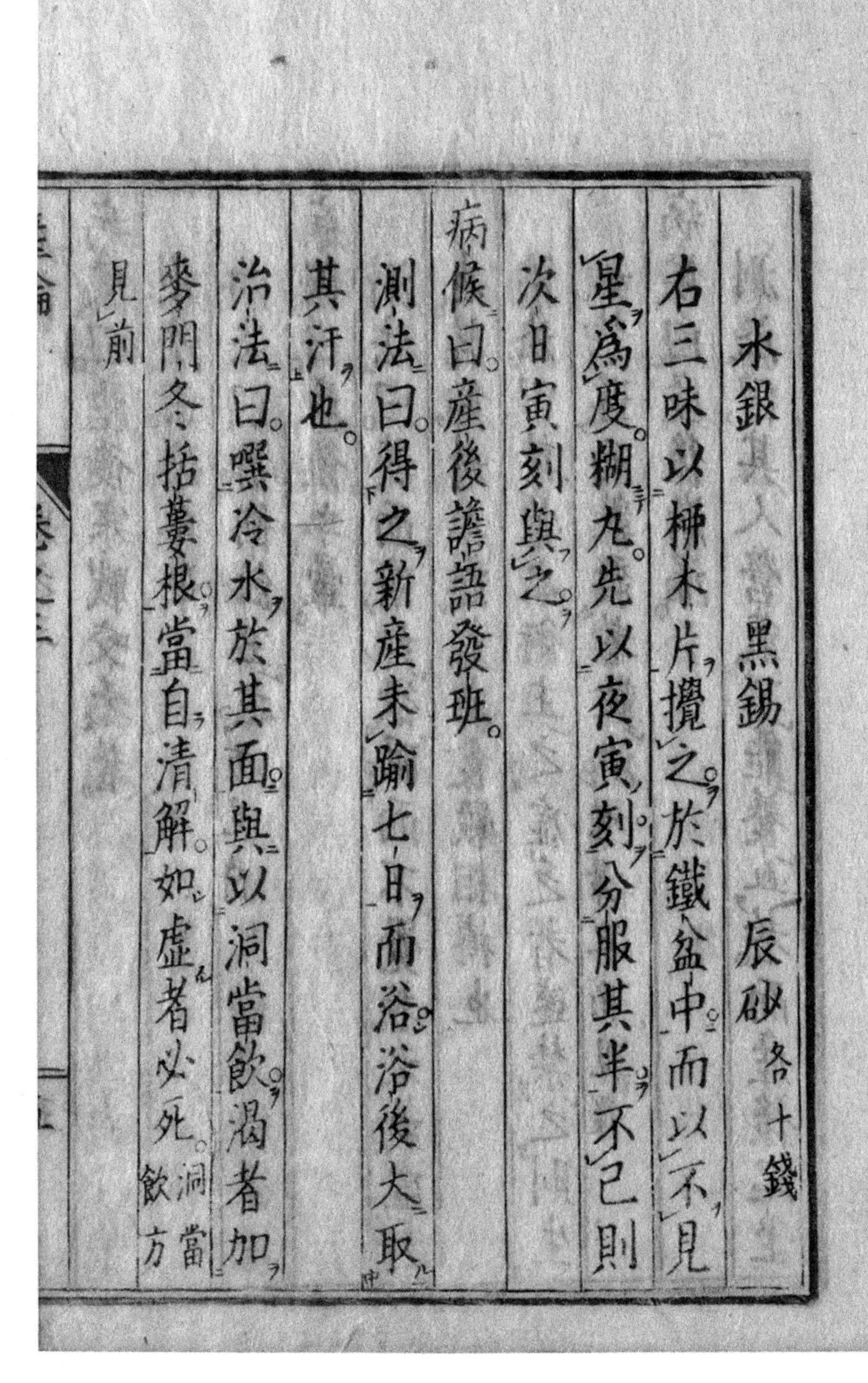

水銀　黑錫　辰砂各十錢

右三味以榧木片攪之於鐵盆中而以不見星爲度糊丸先以夜寅刻分服其半不已則次日寅刻與之

病候曰産後譫語發班

測法曰得之新産未踰七日而浴浴後大取其汗也

治法曰噀冷水於其面與以洞當飲渴者加麥門冬括蔞根當自清解如虛者必死洞當飲方見前

病候曰。産後寒戰咬牙者。

測法曰。瘀血也。

治法曰扐衝飲主之。方見前

病候曰。産後血暈。

測法曰。其面俯如欲眠而不覺者。元氣虚之也。其仰者血熱氣與食穀相搏也。

治法曰。禁暈之術主之。虚之者速禁之則生。如禁遲而數發者難治。禁暈之術見後

病候曰。産後崩漏。

測法曰。其人營氣不能養血者。而産後起坐

故崩下也。

治法曰。過崩之術主之。術見後

病候曰。産後胞衣雖下而瘀血不下者。

測法曰。血氣熱而結也。

治法曰。折衝飲主之。方見前

病候曰。産後兒枕痛。

測法曰。痛在右腹者。爲兒枕痛。

治法曰。産後輙痛者爲瘀血。其痛有時起止。若作陣疼者。折衝飲主之。産後二三日而其痛發者。爲大便燥結。問之果信。與朱明丸。當

令病人右臥

病候曰。産後胞衣不下。二三日者。

測法曰。婦本虚乏。因産益甚者。則不能下也。

治法曰。誤急下之則死。治法先使婦高枕安臥。按臍下動脉應。微弱。且先安其胞無欲下之。當先頻與牛膝附子類。一時許脉覺有力乃下其胞可也。

病候曰。産後發熱煩渇。

測法曰。得之産後數浴下身。浴後受寒冷也

治法曰。洞當飲主之。方見前

病候曰。虚汗不止。若自汗盜汗者。

治法曰。順血則愈。第三和劑湯類主之。

病候曰。産後遍身痛。有熱痛。疼痛。痒痛者。

測法曰。熱者屬血。疼者屬寒。痒者屬氣。

治法曰。熱者下之。折衝飲主之。疼者温之。第四和劑湯主之。痒者行之。第三和劑湯主之。

各方見前

病候曰。産後兩脇痛。或腹痛作陳疼者。

測法曰。或大便燥結也。如産後二三日後。大便快通。瘀血亦下。而腹痛者。陽脱而虚矣。難

產論 卷之三

治

病候曰。產後臍下急痛者。

測法曰。氣血並虛。難治。又有因惡露凝結者。

病候曰。產後痿躄。

測法曰。得之產後血氣未調。強令跪坐產椅也。

治法曰。第七和劑湯主之。

第七和劑湯方

當歸　乾地黃各一錢　芍藥一錢

芎藭五分　牛膝　杜仲各一錢

迪按乳或止亦有因憂傷者不可不知也

右六味以水二合半煎取一合半

病候曰產後小便不通

測法曰有子宮腫因致此者其子宮腫者以其艱產受傷故也

治法曰溲閉之術主之玄英折衝之類撰用

病候曰產後乳少或止

測法曰其人本有蓄血也

治法曰先用折衝飲下蓄血後與乳生湯折衝

飲方見前

乳生湯方

白朮　芍藥　當歸

芎藭　茯苓　桂枝

杜仲　乳香各一錢　甘草一分

右九味。以水二合半，煎取一合半。

病候曰：産門不閉。

測法曰：難産氣虚，下部失守也。

治法曰：當令斂足仰臥四五日自復。

病候曰：産後肛門脱而不收者。

治法曰：收肛之術主之。術見後。

病候曰：産後泄瀉者必腫滿。

治法曰：第三和劑加豬澤與之，别以青陽丸

三兩。一晝夜服之。各方見前

病候曰。產後便閉。

治法曰。朱明丸主之。方見前

病候曰。姙婦病水腫者。產後必無血暈。其胸已上有腫者爲逆水。腹已下有腫者爲下水。逆水分娩必輙死。下水產後發喘急者難治。

病候曰。產後頭痛。

測法曰。或脾胃虛。或大便燥結。隨症治之。

病候曰。產後怔忡。

測法曰。血氣方虛。有觸驚恐。故病怔忡。

治法曰。八物湯主之

八物湯方

人蔘　白朮　當歸

茯苓　乾地黄　芎藭

芍藥各一錢　甘草五分

右八味。以水二合半煎取一合半

病候曰。産後遇經行發狂者。

測法曰。産後十七八月。法當無經行。而今有之者。是汚熱煽動而血妄行。故又發狂也

治法曰。鎮亢若三黄加辰砂有瘀血者。折衝飲

病候曰。産後瘛瘲者。必經七八日而發。
測法曰。病得之強令坐産椅也。
病候曰。産後喘急。
測法曰。或大便結故也。不大便結者死。
治法曰。大便結者朱明丸主之。方見前
病候曰。産後搐搦上竄。
測法曰。血氣上逆也。
治法曰。龍翔飲抽刀散類撰用。
病候曰。産後中風若傷寒。
測法曰。營衛失調也。又有因瘀血與燥屎者。

産論　卷之

治法曰第四和劑湯或折衝飲朱明丸撰用。
病候曰。産後腹滿。
測法曰。太便秘結者。其腫先發於腹部也。
治法曰。先用朱明丸下燥屎後第四和劑加
豬澤湯主之。各方見前
病候曰。産後不語者經日自復。
治術曰。産後之治。不慎擇其宜則亦百患之所
由生也。其術云。一曰鈎胞。二曰禁暈。三曰遏崩。
四曰納腸。五曰收宮。六曰復肛。
其一鈎胞曰。凡胞衣難下者有二。其一由産

婦元氣血虚弱。既免子胎。則眞氣衰憊。不復鼓作。故不能下胞衣也。其一産婦雖本壯實。不幸遇産難。努力極苦。命垂將斃。醫爲救之。纔脱死塗。則神氣昏困。體皆委頓。不足復振。而不能下胞衣也。凡遇此類。當先審診其脉。脉微細者。次未得下之。手足厥冷者亦然。當與之以蔘附之類。脉已復。手足温則下之。若誤急下之。則必死。但其下之之術。頗極神奥。而非筆墨之所能盡。故此不能録也。雖然世間産婦。以胞衣不下。遂致危斃者。十常居四

産論　卷之三

五。苟非識此術豈足專治産婦而回之末路哉。於戲余欲傳之而如此非筆墨之所能盡者何幸有神解者。請留意是言而無使湮微焉。是吾所望後來之君子者爾。

其二禁暈曰。産婦發昏暈者。亦有三。其一其人氣血倶虛産後大氣已轉成亢炎之勢因挾腸胃汚穢而上升胃脘爲之塞閉不通。因昏沈不省人事者。是大危之證。其頭必俯如是者術能止暈而不能禁死矣。其二血室素蓄鬱熱。其爲氣甚剽疾。而遇新産腹内大空。

邪因乘其虛而與食穀并搏上逼心胸故發運眩如是者過二十時而不治則大勢已成不得復救矣其三產婦素壯實善食而分娩之後誤信庸醫謬守陋故欲其跪坐於產椅之中而强令之與身就其處因此起步腸胃動搖筋脈相牽因致血氣擾起與食穀相搏堅結如石遂作跳動上下迫胃口則發悶眩也如是暈則可手到即止焉當先爲設之臥蓐多卷衣被而作之令上高而下漸低置枕焉醫捫循產婦其腹心下必有物如覆杯甚堅

如石跳動以應其手。此時有鎮帶則宜先解去之。迺以右手外廉骨用力按住其物。以左手據其婦右脇下。爲抵當之地。而右手仍逐漸用力推迫。使之歸復右邊小腹委食之本位。其暈必立止。止當抽去其產椅前板。令產婦不動其上。而引出產椅底板。然後人徐與挾其坐而遷之臥蓐上。令產婦仍豎右膝而傾頹仍右側。而就枕臥。則血暈之症必不再發矣。

其三過崩。曰。產後暴崩。其發無時。或胞衣下後輒暴下或産後四五十日乃至一年後忽崩漏其狀皆裏血暴泄如瀉不急遏其路則必皆立死其遏路之法凡遇暴下當投著而起急趨坐其右側傍住之急使其伸脚而以右足股間束勒其婦之腰已下使其産户緊閉不通而無少放鬆仍急澆獨蔘湯因令高枕而右側臥尚可得救之若小遲緩則不可復救矣故人家有産婦者切勿用産椅偶有此症以其四週有墻板難急施此法也又新産後必當卽倚蓐而側臥可以無此暴崩之

患也。

其四納腸曰。凡盤腸而後娩。若産後則腸脫之類。並皆無不由産婆誤之强令努力也。其納之之法。醫先坐其婦右邊。仍令婦舉兩臂嬰醫者之項後展開兩股。以身擁懸而坐。醫左手抱持其背。右手捱産門聚束其腸置之擲上。仍自振體以起作其身候其婦之因此俱起而頭仰腰伸背反腹張之時以右手一送。即時得斂去。如其積年不能收已槁黑乾涸者。以麻糸繫托之。即經日自落下。亦無所傷此亦不可不知也。

其五斂宮。曰。產後子宮突出不斂者。其斂之之法。或用納腸之法。亦得斂去。如未得斂去者。醫却豎左膝而坐。左膝髀抵之腰後。左手臂兼婦之背。使其去嬰項之手。作伸足而仰臥。亦候其背反腹張之時。右手推產門推之一送。即時得斂去子宮突出。世或曰陰門突出者非也。

其六復肛。曰。婦人素患脱肛。產後大出疼痛不斂者。令婦人面壁柱。其鼻尖與胸前骨。脚

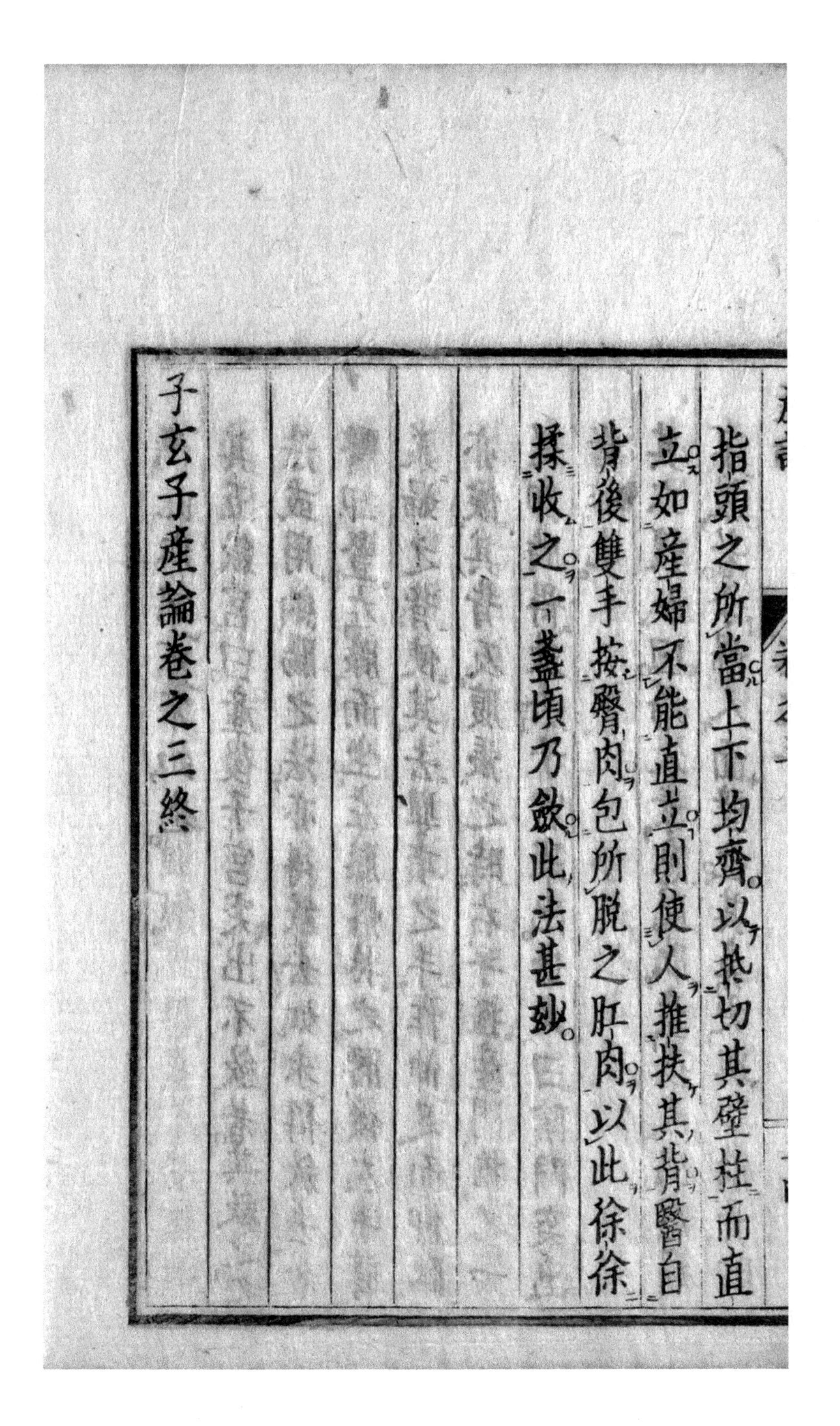

指頭之所當上下均齊。以拼切其璧柱而直立。如產婦不能直立則使人推扶其背。醫自背後雙手按臀肉包所脫之肝肉。以此徐徐揉收之。一盞頃乃斂。此法甚妙。

子玄子產論卷之三終

子玄子產論卷第四

產椅論

我邦近世。婦人大產之後。必用產椅。椅制不一。而大抵皆後面有倚。左右有墻。而前小橫扱及底面皆可抽換。產婦已下胞衣。則椅中周圍先置疊被板墻上亦皆覆以綿被。而後使婦人自起步就椅中。而其坐必令端然跪坐。始產七晝夜。又不許睡而俯首。於是代設看視相守達旦。少有偏側。叱令改之。一七日而始纔免此苦楚矣。而今俗上自天子后妃。下達士庶妻妾。皆莫不甘受是嚴責而幸免乎斯苦者。山野海濱樵婦漁姑之屬耳。然余考漢人醫治產後者其將調法或止言須臾上牀安仰臥不安側臥安豎膝未可伸足高倚牀頭之類。而未嘗聞其有產椅之制也。又嘗求之本邦舊俗。雖書傳散佚不可詳考。而嘗閱空穗語載某姫產後三日輙起而人勸使之臥寢之事。則其書雖寓言。當時無產椅者可徵焉。意其蓋起於晚近苟且之制久之漸漬。人不覺其害也。椅之害產後者大抵有八。產後腹內大空。惡露淤蓄熱氣尤盛。一有

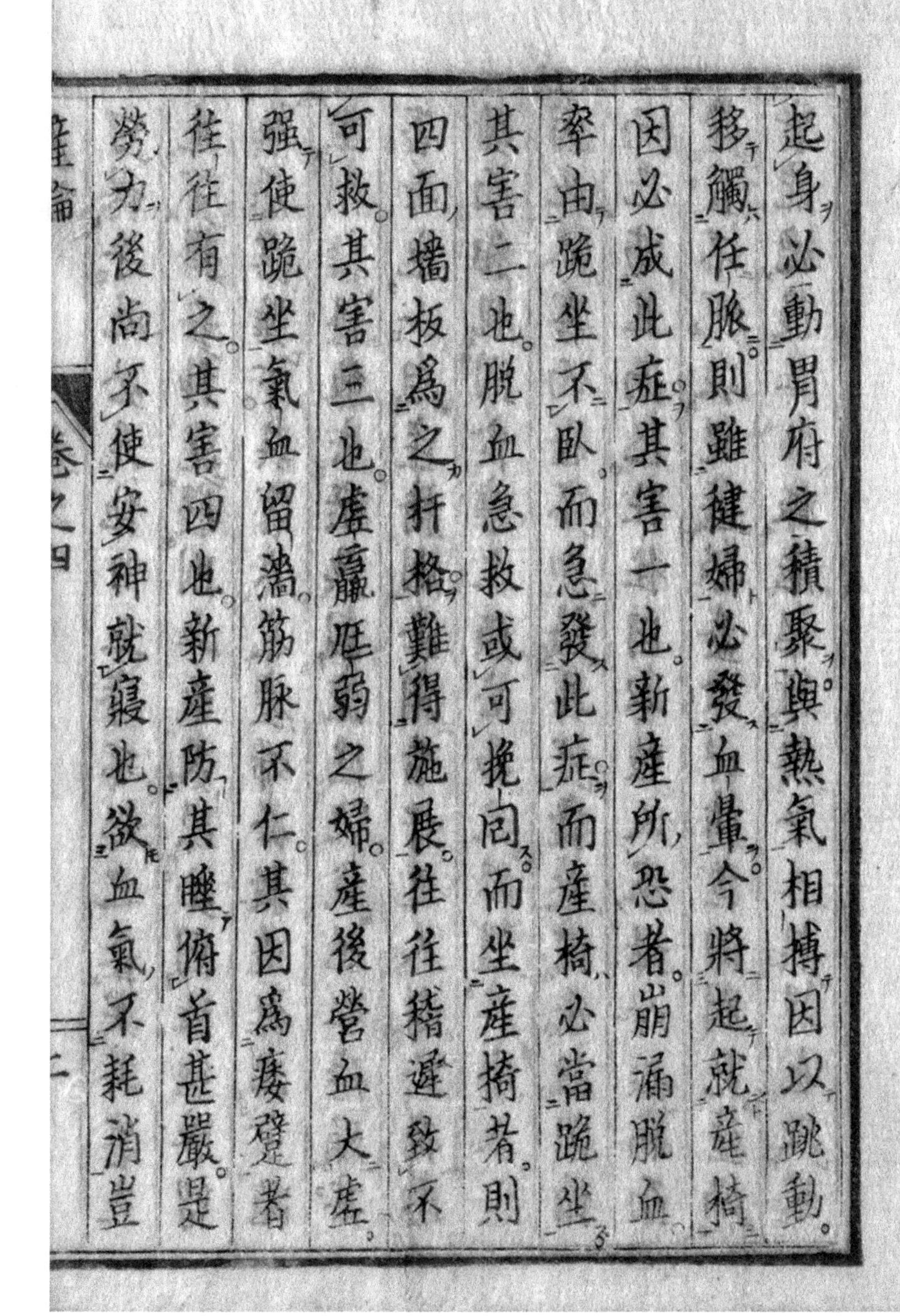

起身必動胃府之積聚與熱氣相搏因以跳動。移觸任脉則雖健婦必發血暈今將起就産椅因必成此症其害一也。新産所恐者。崩漏脫血。率由跪坐不卧而急發此症而産椅必當跪坐其害二也。脫血急救或可挽回而坐産椅者則四面牆板爲之扞格難得施展往往稽遲致不可救其害三也。虚羸尫弱之婦。産後營血大虚。强使跪坐氣血留滯筋脉不仁其因爲痿躄者往往有之其害四也。新産防其瞑俯首甚嚴。是勞力後尚不使安神就寢也。欲血氣不耗消豈

産論　巻之四

可得乎。此必是他日血瘀不起之基矣。其害五也。不得安神就寢。則血氣數躁。必因致經脈留熱惡露難下。其害六也。産婦必穀道挺出。令跪坐則難得斂去。瘀熱因流濕。決成脫肛痔漏。其害七也。一用産椅則必用看守之人。令終夜恐睡而相視。則食藥之類必易致不謹。其害八也。有此八害。而世不知議其可廢者何乎。曰。因循而已。苟且而已。往往因以致人家婦女無病而斃。豈不可哀之甚耶。蓋余少時在田間見産婦。皆能娩後二日輒能起行。與平日無異也。及來

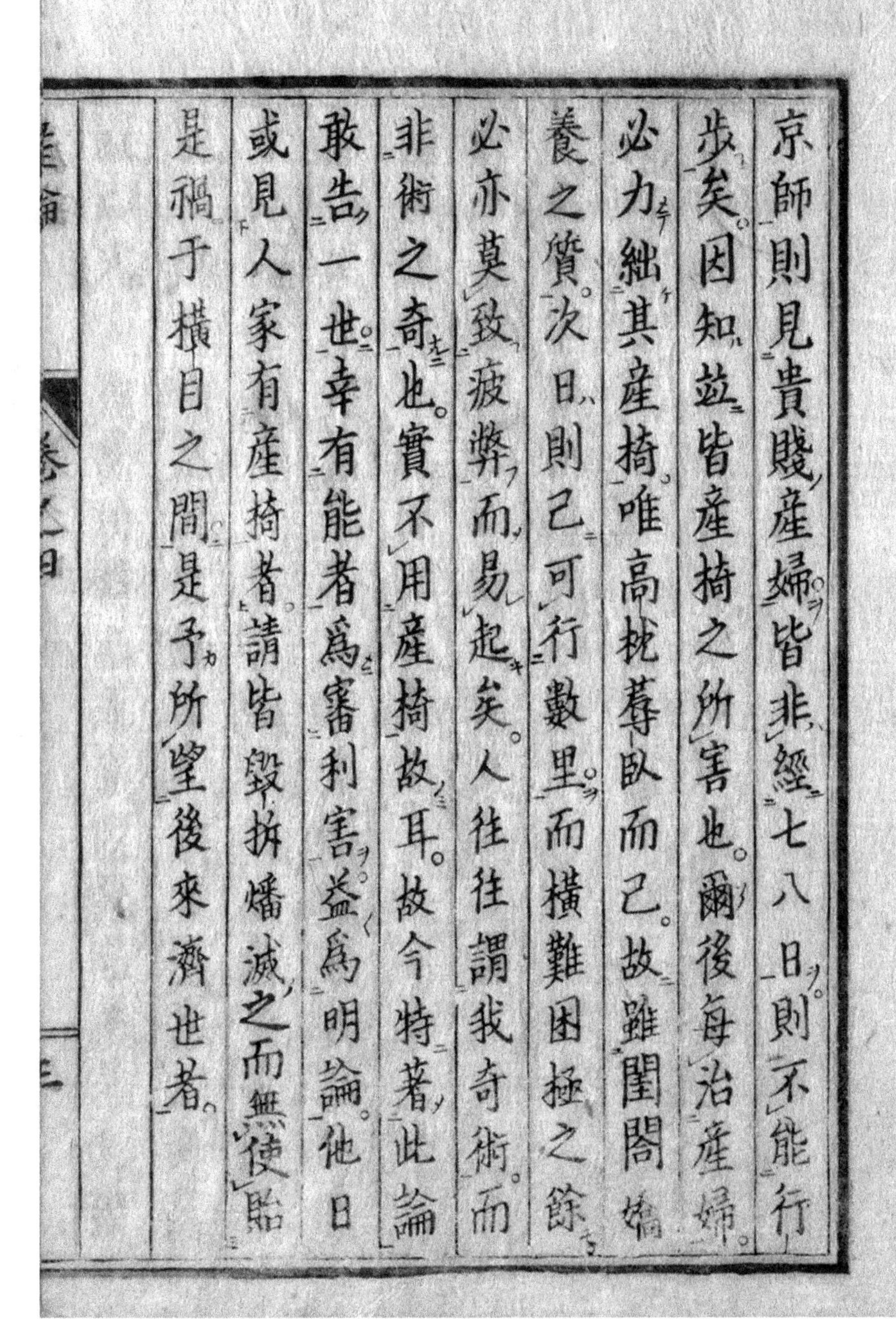

京師則見貴賤產婦皆非經七八日則不能行步矣。因知茲皆產椅之所害也。爾後每治產婦。必力絀其產椅。唯高枕蓐臥而已。故雖閨閤嬌養之質。次日則已可行數里。而橫難困極之餘必亦莫致疲弊而易起矣。人往往謂我奇術。而非術之奇也。實不用產椅故耳。故今特著此論敢告一世。幸有能者爲審利害。益爲明論。他日或見人家有產椅者。請皆毀拆燔滅之。而無使貽是禍于橫目之間。是予所望後來濟世者。

鎮帶論

本邦婦人姙娠五月。必以綵線作帶束于胷下。曰以鎮胎氣使不上衝也。蓋方今此風乃已遍于四方遐陬。相傳昔
神功皇后征三韓時。方有身而被鎧。鎧不能合。因作此帶束之。既凱旋而誕
應神天皇。竟無菑害。昇平富樂。鎮帶之制創起于此。而後世婦人欽慕而倣云。然余自少壯學醫。多治姙婦。見其受鎮帶之害者尤甚也。因竊疑以為神聖所傳之道。豈固若斯乎。考之國

史帝記莫言此帶者而獨於[illegible]元永寵姬懷孕之事始見著帶之文及閱東鑑載源太將軍夫人姙娠五月其諸臣進帶其儀節甚詳即知鎮帶之說雖本附會亦自中古矣後又閱明醫陳朝階奚囊便方其中有用軟絹帛纏腹之法則知彼亦有與我鎮帶意相類者矣然余以所見彼兹皆庸俗之論耳夫天地以至仁爲其德以生生爲其化矣試觀竹之生於宇下者拔地數寸必自屈曲生節預避其宇以達焉是可以觀天地好生之德焉矣又試觀盤石之底土蓄草

根者。其否不移則雖萬年不發動及一轉石也
勃焉萌動焉。是又可以察天地發生之機焉矣
是故天地發生之機。未嘗動於其不可之地矣。
天地至仁之德。未嘗有不擇其地而行之以反
害其生矣。產育之事。乃發生之大端。其理亦何
異之有。母氣既可任產育。故己自能孕其生。則
雖微護防而無異。故者決矣。是故禽獸草木胎
孕含苞。未嘗假夫鎮帶之施設也。今謂人不與此
同者惑之甚也。是故鎮帶之設亦所謂混沌之
鑿也耳。且兒胎既倒首居中。又決無其氣上逆

之理。而今循庸俗之陋習不察其非強用鎮帶則彼包膜惡血盡于兒胎臀尻而正當母胸前者常爲此帶所緊縛積久底著滯結成癥乃臨產不患胞帶難下。卽產後或發崩漏若血癆之危症矣。且雖在其懷孕之時。帶常緊縛其肚則母身每動胎不能副其運轉之變是乃制其上而戾其下也。欲子胎之不歪側豈可得乎。子胎一側則百禍之大本起於此矣。然則鎮帶不唯無其益。而反有其害。豈可不深懼哉是故余常見用此帶者。必諭以其故務去其帶。而以免踏危機者居十之九矣但以其習俗已久而雖可嚀告戒聞者率信疑相半及見其功效者乃始豁然矣嗟乎天下般乎盛矣我軀眇乎小矣一生之所能救者幾何人哉誰能繼予論以徧告之天下之民百世之後者則請以予之緒言更助其理之暢茂也蓋曰譬如樹藝者已植已培已澆已安之後人須棄之如忘者則其木之茁長者挺然而直且美矣若或日從而撼其樹叩其根矯其枝摘其葉則其不厎然而瘦僵然而枯者幾希矣夫產育之理亦何異於此矣是故

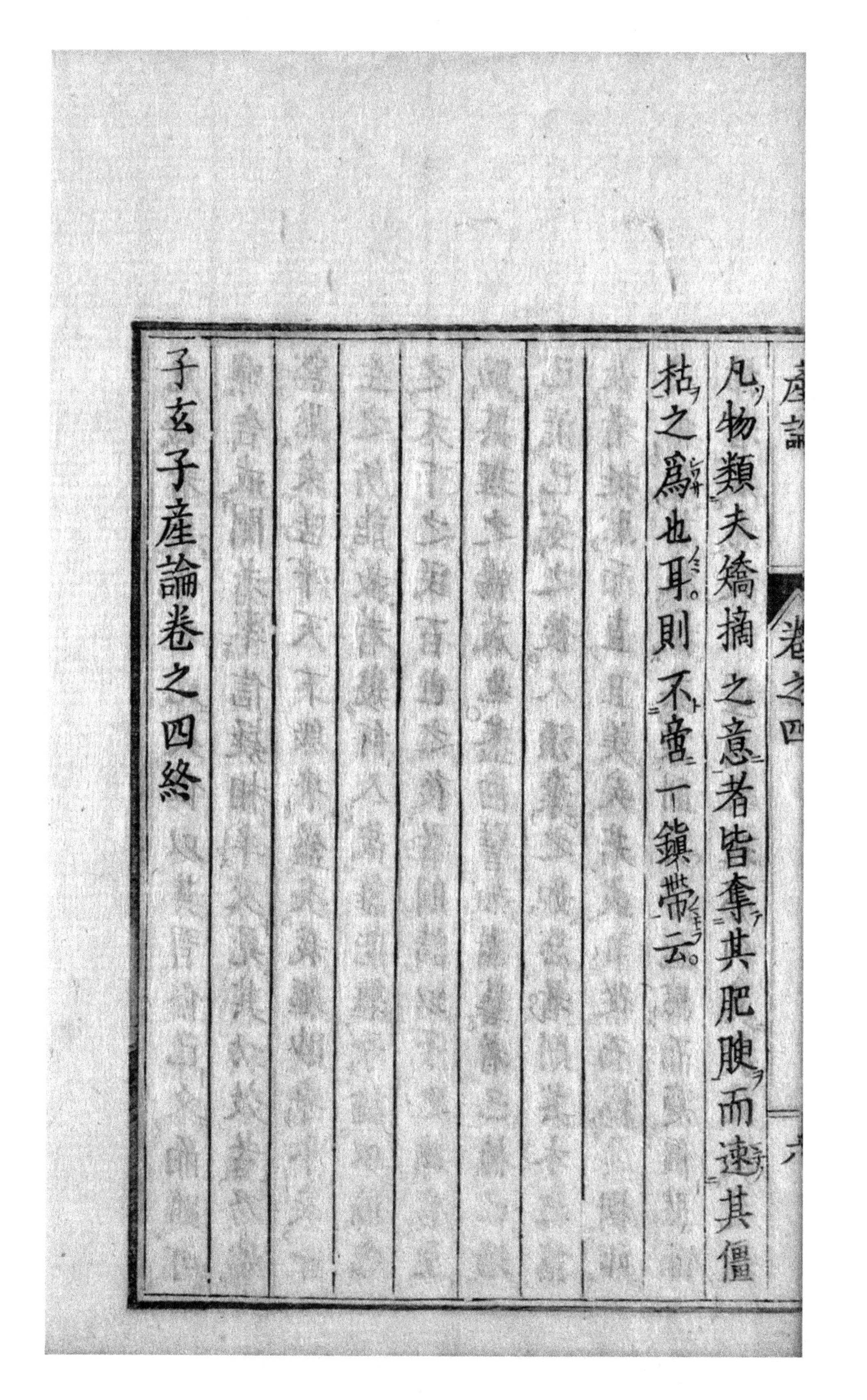

凡物類夫矯摘之意者皆奪其肥腴而速其僵枯之爲也耳。則不啻一鎮帶云。

子玄子產論卷之四終

產論　卷之四　六

附錄子玄子治驗四十八則

子玄先生以方術特善治產婦擅名於京師者已三十年。都人士靡迎請懇治歲以萬數其間神効奇勳豈可勝記哉。茲請諸門人所背劄記僅拟其一二頗存概略者靡論言實行足以相徵發焉云爾。門人山脇格識

一婦初產甚難。尋孕七月。時下血。恐復不育也乃請子診子問其所以朝夕曰未嘗弛鎮帶寢則繩約頸膝子曰是所以動其血也。欲得我治則皆反乎是。其姑同坐而色疑阻。子因謝去。既

已其血下日多其隣有知子日夜更勸令殷請。
於是子復往。則刀斷其繩帶棄之。其明日而血
止。遂育。
一婦産後暈搐子至則旁坐一醫子心欲去其
鎮帶因問之帶何出。曰某書。曰可去乎。曰不可。
子因謂曰。請居亦知去之可矣。暈既止醫遂逃。
一婦産後右脚縮者八寸。三年復孕懼而迎子。
子謂曰。欲我治則無帶與椅矣。且免後恐大痛則
令足復長子去。其族甚勸之曰。必不妄也。遂治。
其免也已下胞而子到令去其帶左側臥而爲

怪問之於子。子云必是子膜遺也。試開之當一展而大乃是也。及引出之果如其言凡子膜廣率一尺。

一婦臨月嘔吐不止。請子爲之且託以坐草。子先與以伏龍肝汁而不復嘔。因論曰治已晚矣。臨月之病産後四五日。必劇發難以救矣。使吾治其産也請不知其他也及八日而娩其後四日果發嘔不止而死

一婦人産後陰脱。醫以礬石湯洗之而堅。子曰是不可救。縱能復之凝固已甚。必大痛而死。而

以其家人強請強爲收之。然終不得融解而次日死。

捨所素識一婦産後十五日。晡食罷起更衣還入室而卒昏倒右瘛左瘲而搐掉不止。醫與以人蔘湯益甚。余與子往。子爲按蹻。俄靜而鼾寐。作虎翼飲與之。則醒而起坐。子因又命余作正方第一劑臨歸囑之其家人曰。湧痰尚盛。夜半應吐。吐則與虎翼飲。已則復與此湯。已歸夜半果吐。家人如其言。後十四五日而愈。

一婦孕八月。指頭腫大。出血不絕。子曰便結而熱因動絡脈。絡脈大傷則出血不絶。與以折衝飲而愈。

一婦子癇愈後五日。因卒倒折前齒。遂成不語。既娩。猶不能言。引予治之。先與以折衝飲盡其惡露三日。更與正方第三之劑。出入二旬而能言語。

一婦產後十五日。陰中忽生一小肉柱。左右相連。小便分飛不可坐。桶以指摵之。唯覺兩邊之攣急耳。予誨以麻線繫托其中。三日而斷。五日而愈。

一貴人寵姬產後病腹中大急數十年。己又小便閉，諸藥無效。因延子治之。子云是血瘕梗于便道也。其根既結，未可遽治。今且治其便閉而可也。因請姬前坐溺器，教諸侍從其背後兩手捧其腰而舉起，便即時大通如瀉。於是以佗不急患也，謝子罷。

一婦臨產兒露臂不縮八日。而妄見譫語，四肢厥冷，脈細微。子往爲出其兒，且度遽下其胞，則死矣。徐徐下之，乃得不死矣。

一婦臨產甚艱，兒遂死。子往爲出之，其兒右足偏大如杜。

一婦艱產。探之得兒頭。斜冒子宮而出於橫骨下。子謝是不可救。遂死。

一婦艱產。探之得兒之背。子云兒已死。為出之。其母因得不死。

一婦艱產。兒腰已下不能出也。子曰兒死矣。且其腰偏大故不出耳。為出之。亦得不死。

一婦艱產三日。子曰胎臭甚。子已死於腹中矣。其頭臚必已三折。骨理然也。及出之果如其言。

一婦年四十有二。產後百日餘。通身腫滿。二便俱塞。醫不能料。予作龍翔加芩連飲服之。數劑而愈。後復孕及五月。復病腫。其姑耄而囂。日罵之曰。孕而病。不如無孕而死。予喩解之曰。嫗休怒。五日之後。勿藥矣。乃與前方兼朱明丸。五日而症全退。姑驩謝曰。苟如此。雖歲育可也。

一婦年三十有二。始孕患大便澁結。産後三日適聞主母喪。痛哭。已經宿眼眶突腫者寸許。脈浮而數。予曰。此火症也。乃用熊膽黃蘗辰砂水浸洗其眼數次。眶始斂。後尚出膿。二年而瘥。

一婦因倒産兒頤拒于交骨。免甚艱。産後便道不通者三十日。子曰。此胞宮過腸也。不治自安。
後果自復。
一婦三孕。皆不能育。尋孕七月。迎子診之。子診
其腹曰。是胭在左腹下。故常害其胎。使不育也。
雖然使余治。可無傷。乃日往其家。爲之按蹻。既
免。子因又謂其婦曰。夫胭者每孕而肥。今而不
治。恐後有孕至於命也。然而欲治之。則痛且甚。
恐中而廢。如何。其姑與婦皆聞其言。始大懼。誓
忍痛而治。乃與折衝飲。其夕果大痛不可忍。比
明。下一物。視之大二寸許。剖之理如鰍肉。其外

白膜包之然以其自分裂而下而其餘尚在腹
中因又勸之益服前湯及其日晡乃下其半次
後竟舉二子矣。
一婦孕七月。清穀下利煩渴又甚飲水日二三
升。子診之脉沈細。與以加澤瀉第三和劑兼用青
陽九曰。大便色黑則下利自止既如其言。
一婦臨產見手足交見子曰是雙胎皆已死也
焉出之果如其言。
一婦產後八日。大便燥結竟成半身不隨子與
加羗活當歸正方第三之劑十四五日全愈。

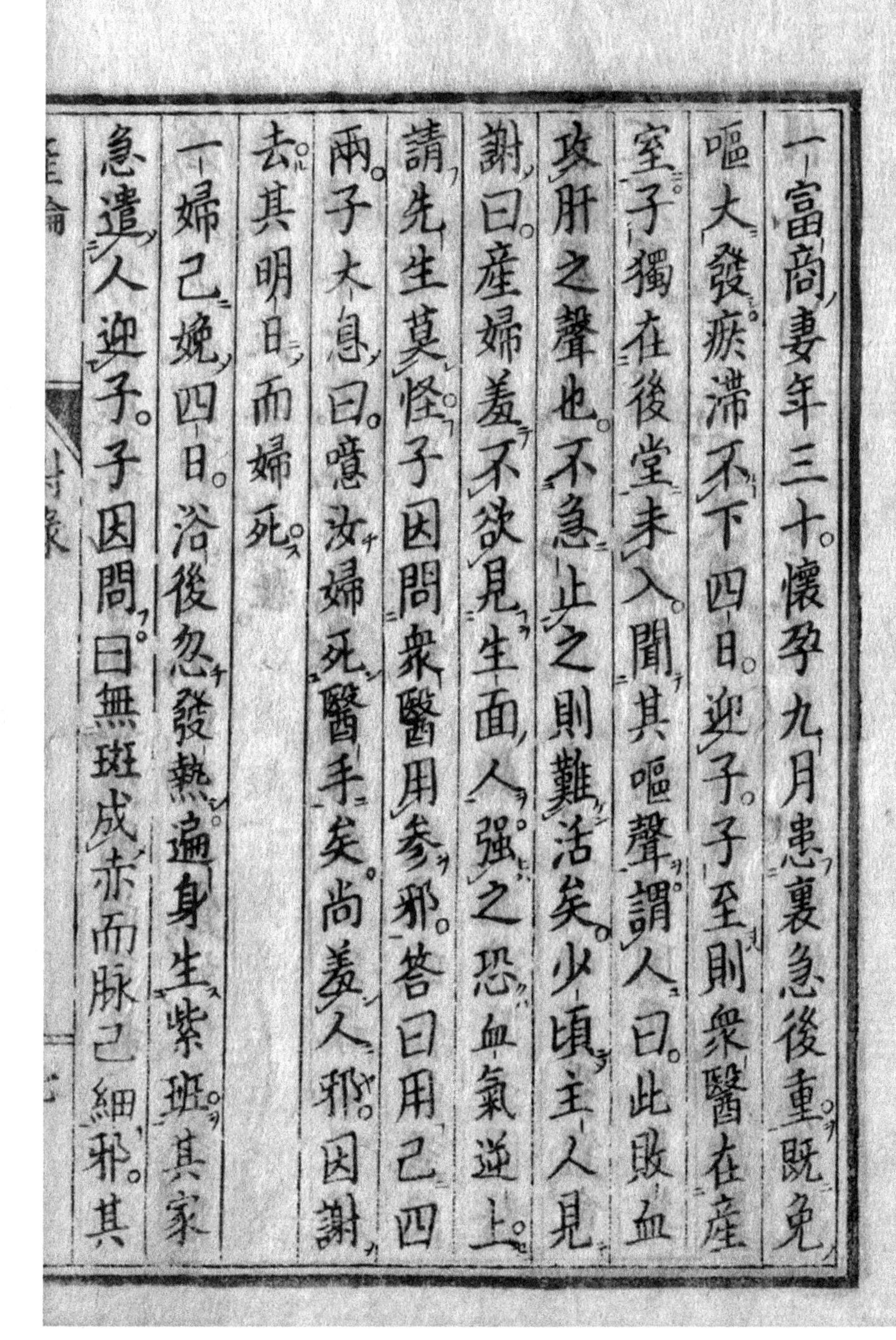

一富商妻年三十。懷孕九月患裏急後重既免嘔大發瘀滞不下四日。迎子。子至則衆醫在産室子獨在後堂未入。聞其嘔聲謂人曰。此敗血攻肝之聲也。不急止之則難活矣。少頃主人見謝曰。産婦羞不欲見生面人强之恐血氣逆上。請先生莫怪子因問衆醫用参邪。答曰用已四兩。子太息曰。噫汝婦死醫手矣。尚羞人邪。因謝去其明日而婦死。

一婦已娩四日。浴後忽發熱遍身生紫斑其家急遣人迎子。子因問曰無斑成赤而脉已細邪。其人無作譫與答曰皆未也。然則尚可救矣。因急爲趨其家。以口含冷水數噀其體。婦發寒戰甚。熱退斑沒。次日全瘥。

一婦年十七。已嫁始孕。因歸産于父母家。家農而富。居在田間。婦已産。一日發熱時作譫語。因急迓予。予已往。則其産室頗深。而遊障之間對設曲屏風凡三折。而後入其室。室中晝張鐙。會天寒。置火爐五枚。婦坐産椅。被覆周圍。裁見其頭。予已診畢。因咲謂其人曰。婦本不病。父母愛護太過。而因致此症耳。且女幼而慣田野。今雖

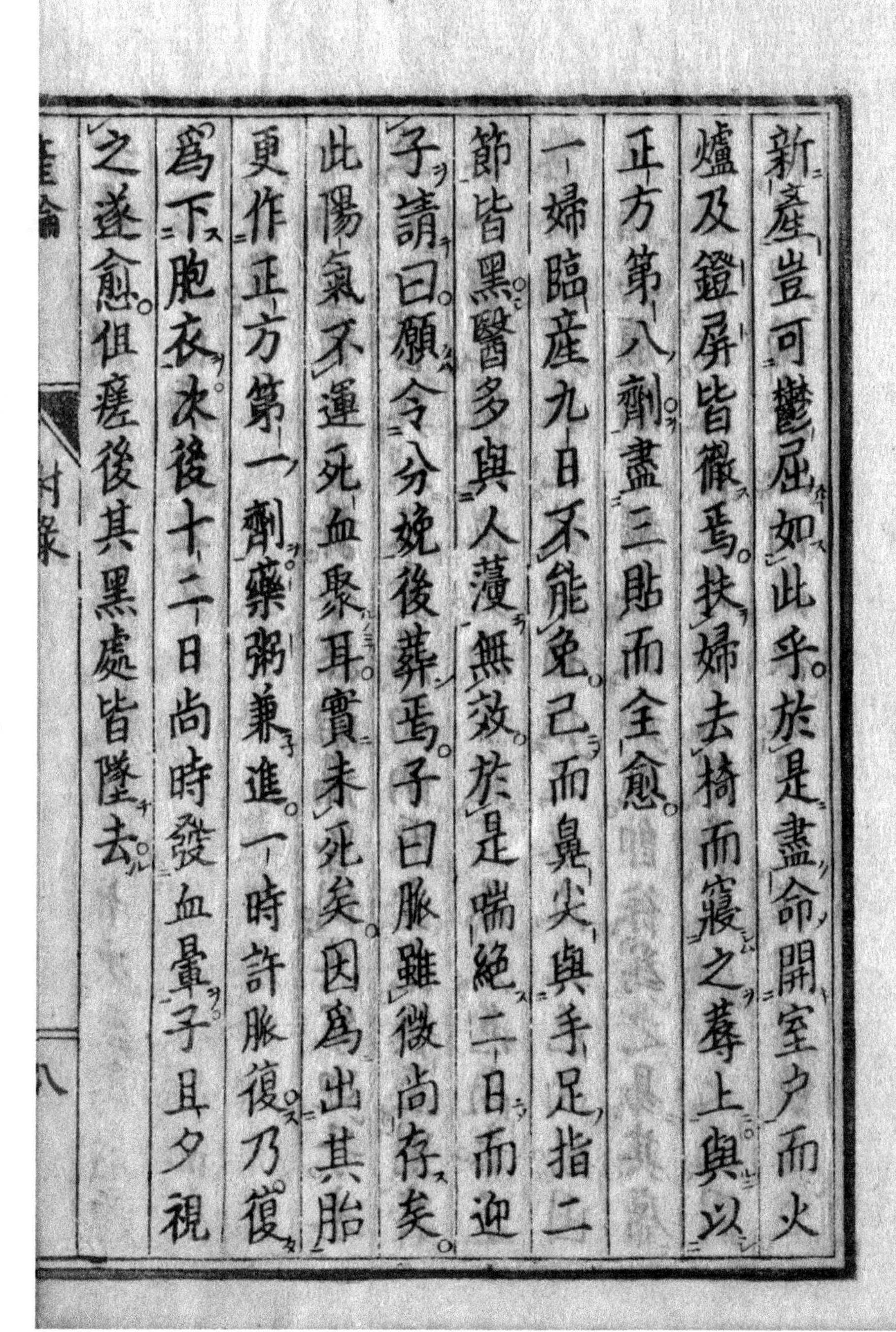

新産豈可鬱屈如此乎。於是盡命開室戸而火爐及鐙屏皆徹焉。扶婦去椅而寢之蓐上與以正方第八劑盡三貼而全愈。

一婦臨産九日不能免。已而鼻尖與手足指二節皆黑。醫多與人蔘無效。於是喘絶二日而迎子。請曰願令分娩後葬焉。子曰脈雖微尚存矣。此陽氣不運死血聚耳。實未死矣。因爲出其胎更作正方第一劑藥粥兼進。一時許脈復乃復爲下胞衣。次後十二日尚時發血暈。子且夕視之遂愈。但瘥後其黑處皆墜去。

一婦子癇日發三五次。劇則二十次。至爲右瘛。子診之曰。病得之交接壓其胎。卽爲按蹻而止不復發。

一婦産後一歲許。卒然崩漏昏倒。其家迎子。未至。有一醫與以三黄湯。而兩脈竟絶。後至則其家人皆已環之泣哭。而子視其承泣色尚赤。子意其尚可救也。試以指推之。承泣血色尚動。因又循其腹臍下獨熱大如椀。卽徐爲之易其席而改寢焉。急作正方第六劑飲之。少之大吐。因復與以獨蔘湯。而尚欲吐。乃變作虎翼飲與之。

於是姑靜稍能語後十四五日調理之而全愈。

一婦初産腸脫尋而孕其腸數出已而及産後遂大脫其物大如盤而灰黑色水漿實中而甚堅子爲納之三日而能起歩矣。

一婦臨産燥屎樓于産道不得出子命坐婆急以膏塗手探肛門捫而出之已娩後以緜蘸膏納之肛門三日其痛全已

一婦孕子爲治其産已娩而蓐子欲使臥而其家不肯因姑令跪坐而血山卒崩子急救之已不及矣子每悔之曰時不強使臥也。

一婦懷孕九月。患右足攣急。有一外科傳以膏益甚。子爲按蹻立愈。

一婦產後六日。子固戒其浴。而其家不肎。至晡竊浴之。夜半發熱。紫班遍體。且譫語。始大驚迎子。子至見之。怒曰。自招其斃。非吾所知也。且此必不可救。至明則必死。因謝去。其明日死。

一婦產後腹滿如水腫狀。臍下時痛。醫皆以爲瘀血。頻與以破血之劑。益甚。子曰。是腸癰也。鍼之則膿血激射出三升餘。因作第三和劑加土茯苓飲之。且鍼且藥。十五日而愈。

一富商婦年四十三。始孕已八月患水腫。子治之。與以正方第三劑加豬苓澤瀉而愈。其彌月有一坐婆診婦而語家人曰。夫人年長往病水腫時。醫又治用峻劑。故今其胎已死。吾恐分娩之失夫人也。家人聞之驚惕相哭泣。適子往到其家。按蹻其婦。衆因相訴以其故。子聞之。因召其家人之嘗乳者。爲引其手捫婦之孕。且問曰。汝嘗知孕矣。是兒脅也。死胎亦動若是邪。於是家人疑者皆釋。後四日而娩。母子畢皆無恙矣」

一醫家女姙身七月。夫家來在其家。一日朝搉髮後卒然悶倒其家急迎子而子至爲之按蹻則醒因設臥蓐使女寢既且歸戒其家曰必無使之起坐則必復發而其家人心疑子之言且恐有痰血也歸後使起坐則果復悶倒然初以其所背而不敢迎頻灌以蔆連晡至夜半殊無効應卒不得已復遣人迎子子聞料其背言也惡之不肎往其家人惶急往來且謝且求子遂不得已而詣其家復爲按蹻則亦醒因復要命就蓐而臥焉子因問其女曰腹無氣痛否女曰有之矣子曰然吾知之矣明日夜半必當半產

乃復戒其家曰必無使之起坐如猶有背產後復發則雖扁倉難以救矣其家始懼不敢復為於是暈遂止而明日夜半果半產矣

一婦產後二十日患肩脇掣痛為之不能食子診之脉數甚因問曰左右痛孰甚婦答曰右甚於左子曰然則腰亦痛乎婦曰腰痛則自產後有之每臥起甚艱子乃按臍腹痛頓止因與朱明丸百粒以龍騰飲夜半下之且曰明日已刻大便得通矣婦從其言服之明已刻果下燥屎而掣痛頓除子曰左甚者難治

產論

附錄

一倡未亂。有一惡少。強與交。其女未感而孕子。聞曰。女氣不感。男精獨結。其或男。既產。果如其言。

一婦產後胞衣不下。有一婦人科。十日治之。而其術方窮。適其族勸迎子。子往。則其醫在焉。子因與論曰。胞久不出。恐其已爛。不急下之。尋必致死。醫素忌其能。抗言曰。三世之醫亦有所傳已。君不必獨善也。子因謝去。其明日婦果死。

一女已約嫁數日。忽腹脹乳出。夫家疑其奸。責其父母。其女亦日夜憂。欲自死。子爲診而決之曰是處子也。因與以折衡飲三日經行而腹脹頓已。

先生近江彥根三浦氏之族也。父諱長富家世祿仕于侯藩長富娶妾而生先生。先生年七歲以其庶子出之養于外家既孤其家遂請爲己子而教以稼穡之事先生則少而厭農遂去客京師。而其幼時本嘗學鍼灸按蹻頗通其微及其客京師。因復益治湯劑之方學甚勵苦居數年適其隣居有一婦臨產兒露手膊而將死先生因視而閱之。乃歸爲搆思其治之術其夕得之。明

日遂往以救之婦得不死於是益爲其術大治產婦日數百人凡世醫所難先生無不治治皆無不全矣而竟以此顯名京師茲述產論時年六十有七云

產論翼　賀川子啓先生著　全二卷
附治驗　水戸醫官原玄貞撰
剞出

子玄子產論附錄終

明和二年乙酉秋八月

京師書鋪 掘川佛光寺下町 河南四郎兵衛

同町 河南喜兵衛

東都 日本橋一丁目 須原屋茂兵衛

發行

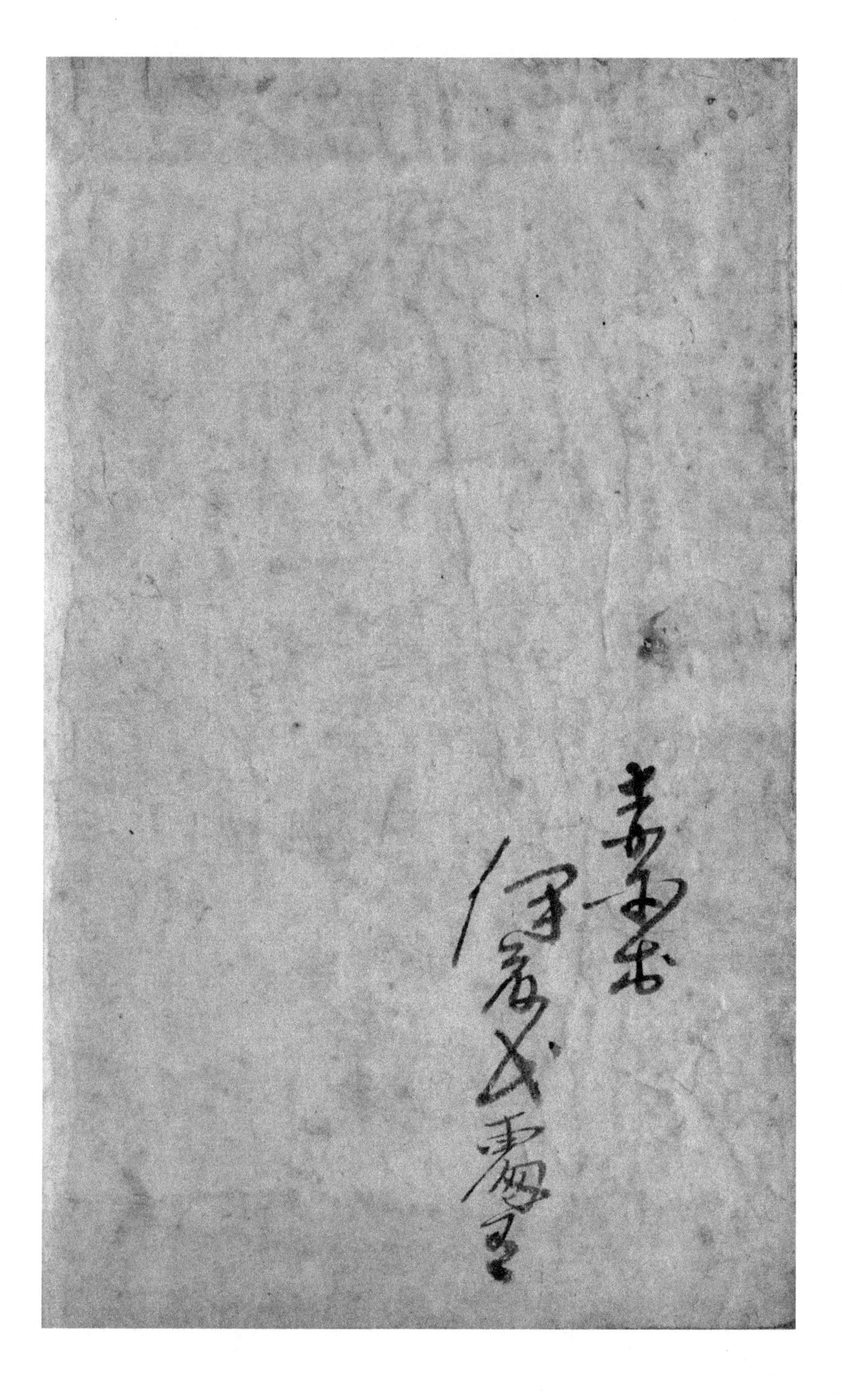

海外漢文古醫籍精選叢書·第三輯

産論翼

〔日〕賀川玄迪　撰

内容提要

《産論翼》爲産科學專著，成書於安永四年（一七七五），是日本「賀川流産科」醫家賀川玄迪增益其養父賀川玄悦《子玄子産論》（簡稱《産論》）而成，係該書的羽翼之作。《産論翼》全書圖文并茂，補充并完善了賀川玄悦的産科治術，亦爲具有很高臨床實用價值的産科學著作。

一 作者與成書

《産論翼》扉葉題作者爲「京都賀川玄迪著述」；乾卷之首署「阿州醫官賀川玄迪子啓甫著/門人羽州佐藤沖茂德/土州户梶升吉夫/常州長中行伯正仝校」；坤卷之首題「阿州醫官賀川玄迪子啓鑒定/門人濱松醫官永井篤士祐/津輕醫官樋口淳美子成同考次」。故知此書由賀川玄迪所著，經其幾位門人校訂而成。

賀川玄迪（一七三九—一七七九），一名義迪，字子啓，號有齋。據本書柴邦彦序所載，玄迪本姓岡本，爲賀川玄悦養子、女婿，入於玄悦門下學習婦産科醫術，平日修業精勤，深受其師喜愛，故玄悦將平生醫術傾囊相授，令以疇其學。玄迪不負乃父所望，繼承玄悦的婦産科理論與醫術，并將其擴充完善，發揚光大，成爲傳承賀川玄悦所創「賀川流産科」的重要醫家之一。賀川玄迪的代表醫著即《産論翼》。

玄迪養父賀川玄悦（一七〇〇—一七七七），一名光森，字子玄，是日本江户時代著名醫學流派「賀川流産科」的開創者。在産科方面，賀川玄悦突出的業績是首先發現并闡明了正常胎位，發明十三種産科手法技術，化裁中醫古方治療産科疾病療效突出，擅長難産救治之術，挽救了衆多難産婦兒。玄悦的學術理論及臨證經驗主要彙集於《子玄子産論》一書中。該書是記載其婦産科理論、治術和方藥的重要著作，爲日本後世的産科學奠定了基礎，産生了深遠的影響。

柴邦彦在「産論翼序」中言：「賀川翁子玄……積以歲月，益精確自信，乃立一家之言，著《産論》一篇。學無所師，承又不本古人，故其所持論，初聞若可驚，然皆其所親歷而獨得，故簡徑奇中，凡産蓐之病，其變無方而皆不能逃其尺寸……子啓乃取翁之書所未備與己之新得者，作論并圖翼之，而後翁之學無復餘藴而可不墜於後云。」可知，日本著名産科醫家賀川玄悦（子玄）取親歷獨得之見解、經驗，先作《産論》一書，持論獨特，簡徑奇中；其養子賀川玄迪（子啓）補《産論》之未備，增以新得療治之經驗，列述産科治療技術，繪製妊娠胎兒和産程順逆圖，附以産科臨證驗案，撰成《産論翼》一書，成爲羽翼《産論》之作，與該書合成雙璧，在日本産科學歷史上産生了極大的影響。

二　主要内容

《産論翼》分爲乾、坤二卷。乾卷收載二十種孕産治療手法、各種死胎候法、嬰兒保護法、試乳法及浴法。二十種治療手法分别爲：按腹（七法）、辨胎、整胎、救痌、探宫、導水（三條）、坐草（四條）、斷臍、禁暈、抒倒、整横、拔坐、舉攣、易褥、遏崩、泄閉、納腸、斂宫、復肛、救痙。

坤卷繪製三十二幅孕產之圖，有正產懷孕圖、正產破漿未迸圖、正產冒子宫圖、正產探之得半頭并肩圖、正產探之得頤圖、壯尻胎圖、壯尻胎露半身圖、正產七八月被膜胎圖、剖膜見胎圖、倒產懷孕圖、倒產先露胞帶圖、倒產胞衣先下圖、倒產露兩足圖、倒產兩足交叉露一足圖、倒產露下身肩以上未出圖、倒產頭項礙横骨圖、倒產露左足胞衣先出圖、倒產露一手一足圖、倒產露左足圖、坐產探之得臀肛圖、正產歪斜圖、横產探之得背圖、横產露臂髆圖、横產露手胞衣先出圖、横產頭手足及胞帶出圖、横產露手指圖、攣胎正法圖、攣胎雙逆圖、攣胎駢首向下圖、攣胎雙逆各露兩足圖、攣胎一逆一横露一手一足圖、攣胎雙坐探之得臀尻圖。

附録載賀川玄迪二十八條產科臨床治療經驗，由其門人原昌克選録。手法與方藥并用，爲玄迪頗具代表性的有效驗案。

三　特色與價值

《產論翼》是賀川玄迪對《產論》一書的增益之作，補充和完善了《產論》收載的產科治術與方藥。《產論》分述妊娠、分娩、產後各個階段疾病的症狀、病因、方藥和手法，發明十三種產科手法治術。賀川玄迪認爲《產論》中的方術記載稍顯簡略，舉而未備，故著《產論翼》一書，專以增補、豐富、闡明治術爲要，繪製三十二幅妊娠圖并補充《產論》中未收録的賀川玄悦產科經驗方藥。

（一）增補治術

賀川玄悦《產論》中記載有整胎法、救癇術、坐草術、抒倒術、整横術、舉攣術、回生術、鈎胞術、禁暈術、遏崩術、納腸術、收宫術、復肛術共十三種治術。賀川玄迪《產論翼》則包含二十種治術，其中用於妊娠期的有按腹、辨胎、整胎、救癇；臨產時則有探宫、導水、坐草、斷臍、禁暈、抒倒、整横、拔坐、舉攣、易褥、遏崩、泄閉、納腸、斂宫、復肛、救痙諸術。二書相較，《產論翼》新增按腹、辨胎、探宫、導水、斷臍、拔坐、易褥、泄閉、救痙之術九種，而少回生術和鈎胞術兩種。其中，按腹、辨胎、探宫、拔坐之術散見於《產論》書中，故《產論翼》新增的實爲導水、斷臍、易褥、泄閉、救痙五種治術，且列述了每一種治療手法的適應病證和具體操作。玄迪認爲，回生術和鈎胞術其術意神奥，難以筆述，即使門人也不易登堂入室，故未述其具體操作。《產論》中也只是列舉了此二術的適應證與病因，亦無詳細操作方法。

（二）豐富手法

《產論翼》對《產論》中的整胎、坐草、禁暈、抒倒、舉攣五術手法均有補充。例如，在《產論翼》乾卷整胎術中，玄迪言：「《產論》所舉，術甚詳矣。而今又新有所得，法已簡易而得效亦速……其法令婦人……」詳細描述了新增手法的具體操作；在坐草術中，《產論》原載兩種方法，而《產論翼》補充了三種操作方法；又在禁暈術中補充兩種，於抒倒術中補充三種新的手法；還在舉攣術中附言攣胎分娩中可能出現的多種情況及其對策。關於玄悦（子玄）與玄迪（子啓）父子二人手法特點的不同，淺田宗伯在

《皇國名醫傳》中有一段描述：「子玄魁梧有膂力，故其手術超邁，纖弱者則難學之矣；子啓短小，無過人之力，因以意變化其術。二子各極其長，運用之妙，有不可思議者，洵天下之絶技也。」❶

（三）詳明操作

《産論》雖無治療手法的詳細描述，但亦可看出玄悦十分重視按腹法。但《産論》中并無按腹法的詳細專論，舉如應用按腹法尋胎氣判斷是否妊娠、辨燥屎和瘀血、妊娠期間需要時時按腹以正胎位，或辨别胎兒死生、産後下胞衣等，相關内容散在書中各處，且文字簡略。《産論翼》第一條即爲按腹法，詳細列述了七種按腹手法的具體操作。書中强調：「婦人孕三四月際，善用此，乃必得其腹内鬱氣大散，脉絡調理，而恶阻之患亦得速除矣。其餘不問老幼男女諸病，兼用之，其益不少。且此爲産科所用諸手法之本源，諸手法皆由此而生。故凡欲通産科之諸術者，此不可不最先練習熟慣也。」在《産論》中，探宫術和拔坐術分别見於坐草術和抒倒術中；《産論翼》將它們提取出來，各列一術，詳細描述了操作方法。此外，《産論翼》中對救癇、遏崩、整横、舉攣、納腸、斂宫、復肛等術操作方法的描述亦更加詳明。

（四）重視調護

玄迪門人佐佐井玄敬在《産論翼》凡例中指出：「胎之死生，攻補攸分，治産之一大準的。」因此，

❶ 〔日〕淺田宗伯．皇國名医傳［M］//大塚敬節，矢數道明編集．近世漢方医學書集成：第九十九册．東京：株式會社名著出版，一九八三：四九六．

玄迪在本書乾卷之末詳細列述死胎候法及嬰兒保護法、試乳法、浴法四節。死胎候法輯録《産論》中散在的所有候胎兒死生的條文，附以玄迪最新積纍的經驗，共計二十五條；嬰兒保護法記述初生兒斷臍帶後的處理以及天吊撮口、鵝口瘡、痘疹等疾病的預防、餵養、沐浴及下胎毒法；試乳法分述如何辨别乳汁品質的優劣，强調産後初出乳汁不能用於餵養小兒；浴法提示妊娠九月後當禁止沐浴，若妊娠中頻繁沐浴，多患水腫或淋病，導致胎動上逼心下而危急，還提出了妊娠、産後合理的沐浴方法。

（五）新繪圖譜

《産論》及《産論翼》詳細記載從妊娠、分娩到産後可能出現的各種疾患的治療方法。賀川玄迪又恐醫者難達其效，故於《産論翼》坤卷繪製孕産各個階段的相關圖譜，以供醫者參考。書中共計繪有三十二圖，包括正産、横産、倒産、攣胎各個階段的懷孕圖和産程圖。圖譜綫條清晰流暢，形象直觀，可見胞衣（即胎盤）、白膜（即胎膜）、胞帶（即臍帶）等，簡明清晰地展示了妊娠順逆、横産倒産、攣生等各種妊娠和生産過程的常態及异常情况。

（六）增益醫方

《産論》中收録賀川玄悦婦産科經驗醫方二十首左右，基本由中國古醫方化裁而成。《産論翼》雖以手法治術爲主，亦兼用方藥治療，其中未見載於《産論》的醫方有：治癎證并發症的參連湯、第二和劑湯、第五和劑湯、一味熊膽；療産後血暈，病因爲瘀血衝心的抽刀散；治産後血崩，兼大便秘、脉數、心下痞硬、面赤逆上的第六和劑湯；療産後轉胞危急的錫圭丸。關於和劑湯系列方，《産論》中有第一、第三、第四、第七和劑湯，而《産論翼》中出現第二、第五、第六和劑湯，剛好將此系列之方補充完全。從藥物組成上來看，《産論》《産論翼》二書先後記載的系列方差异不大，應當同屬於賀川玄悦的經驗之方。

綜合以上特點，《産論翼》豐富了賀川玄悦的産科治療技術，重點在於詳明治術，用於防治胎前産後疾患；繪製懷孕、生産各種胎位的妊娠、産程圖，醫者可以據圖審論遣療，達到事半功倍的效果；所收未見於《産論》中的賀川玄悦産科經驗藥方，使學者能够更加全面地認識和瞭解玄悦以方藥治療婦産科疾病的思路。

四　版本情況

《産論翼》二卷，初刊於日本安永四年（一七七五）。嘉永六年（一八五三）九月，賀川家正系八代子達（文焕）將賀川玄悦《子玄子産論》與賀川玄迪《産論翼》校正後一同刊刻行世。❶ 由於《産論翼》影響較大，流傳甚廣，故現存傳本較多。其中，安永四年（一七七五）刻本，分藏於日本國立國會圖書館白井文庫、東京國立博物館、九州大學圖書館、京都大學圖書館、京都大學圖書館富士川文庫、東京

❶ 〔日〕杉立義一．賀川玄悦と賀川流産科[J]//大塚敬節，矢數道明．近世漢方医學書集成：第一〇六册．東京：株式會社名著出版，一九八三：三二．

教育大學圖書館、慶應義塾大學圖書館富士川文庫、早稻田大學圖書館、東京大學圖書館、東京大學圖書館鶚軒文庫、東北大學圖書館狩野文庫、石川縣立中央圖書館、京都府立圖書館、德島縣立圖書館、東京都立日比谷圖書館加賀文庫、東京都立日比谷圖書館東京志料、船橋市立圖書館、御茶之水圖書館成簣堂文庫、成田圖書館、下鄉文庫；嘉永六年（一八五三）校正再刻本，現藏於京都大學圖書館、京都大學圖書館富士川文庫、京都府立圖書館、東京都立日比谷圖書館加賀文庫、島根縣立圖書館、宮城縣立圖書館小西文庫、西尾市立圖書館岩瀨文庫、杏雨書屋、乾乾齋文庫、神宮文庫、無窮會平沼文庫；刊年不明刻本，現藏於日本國立國會圖書館、岡山大學圖書館池田家文庫、大阪府立圖書館石崎文庫、德島縣立圖書館、廣島市立淺野圖書館小田文庫、市立刈谷圖書館、牧野圖書館。❶

本次影印采用的底本，爲日本國立國會圖書館白井文庫所藏安永四年（一七七五）刻本。此本藏書號「特1—816」，分爲乾、坤二卷二册，四眼裝幀。乾卷封皮題「産論翼　乾」，内封題寫同樣的書名及卷次。扉葉題著者、書名及刻書機構爲「京都賀川玄迪著述/産論翼/平安濟世館藏版」。乾卷之首有安永乙未年（一七七五）柴邦彦「産論翼序」、同年山脇之豹後序（此序重複出現於坤卷附録之後）、門人泉界茂庵佐佐井玄敬「凡例」及「産論翼乾之卷目録」。坤卷封皮題「産論翼　坤」，内封題寫文字同封皮。坤卷之首有「産論翼坤之卷目録」。乾卷、坤卷正文首葉各署書名、卷次，下有著者和校正者姓氏。全書四周雙邊，烏絲欄，正文每半葉九行，行十八字。版心無魚尾，書口題書名、卷次及葉

---

❶〔日〕國書研究室．國書總目録：第三卷［M］．東京：岩波書店，一九七七：八七一．

次。正文漢字旁有小字日文送假名及語序返點符號。坤卷之末附録「治驗二十八條」，其後爲安永乙未年（一七七五）山脇之豹後序。書末刊刻牌記鎸有刻書時間和出書機構名稱與地址信息，作「安永四乙未春三月／京師書肆堀川佛光寺下町／河南四郎兵衛／……發行」。

總之，賀川玄悦《子玄子產論》發明婦產科治療手法，用於婦女妊娠、分娩、產後各個階段的救治，是日本極具影響力的重要產科學專著。賀川玄迪《產論翼》以《產論》爲基礎增益完善，尤其重視闡明手法操作，新增補產科手法治療的種類，豐富和完善了《產論》中已有產科手法的記述；重視辨别胎兒死生、產後嬰兒調護和疾病防治、母乳的品質、妊娠沐浴法和禁忌等與產科臨床密切相關的防治養護方法；繪製妊娠分娩中可能出現的各種懷孕及產程圖，直觀形象，與文字描述相參互補，圖文并茂，易於理解；此外，補充收録《產論》中未予收載的賀川玄悦產科治療經驗醫方；卷末附載的賀川玄迪救治產科疾病較爲典型的醫案，爲學者深入學習賀川流產科手法提供了良好的借鑒。賀川玄迪補充完善其養父玄悦的產科經驗和技術，推動了後世產科治術的發展，是具有挖掘研究和臨床應用價值的日本重要產科文獻之一。

何慧玲　蕭永芝

產論翼
乾
特I
816

産論翼
乾
特 1
316

京都賀川玄迪著述

產論翼

平安濟世館藏版

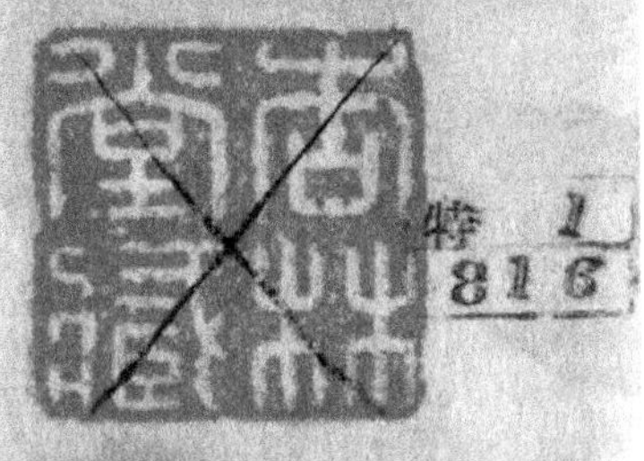

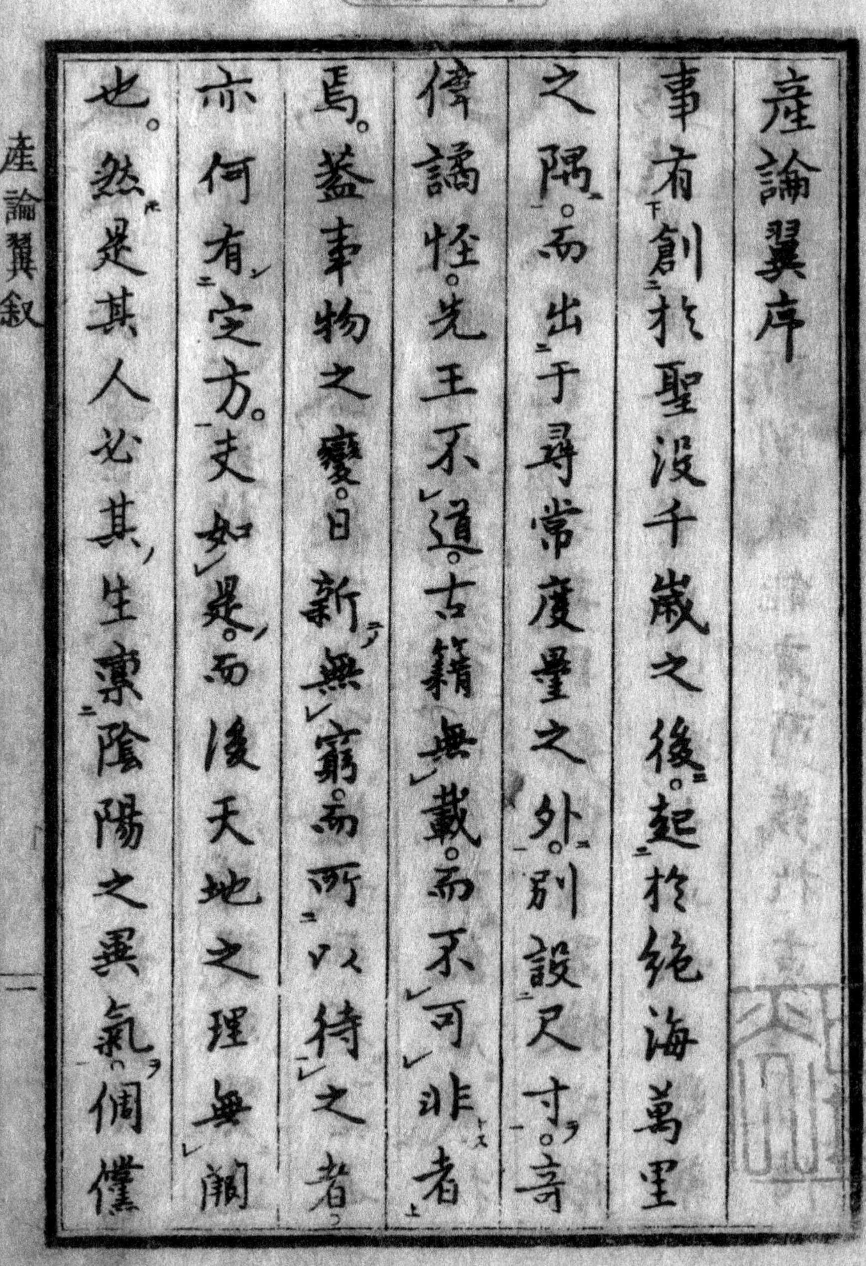

產論翼序

事有創於聖沒千歲之後。起於絕海萬里之隔。而出于尋常度量之外。別設尺寸。奇偉譎怪。先王不道。古籍無載。而不可非者焉。蓋事物之變。日新無窮。而所以待之者亦何有定方。夫如是。而後天地之理無闕也。然是其人必其生稟陰陽之異氣。倜儻

產論翼叙　一

誠懇。又必多歷事變。致思專一。竭終身之
知巧而後可與於此也。而又輔翼而賛述
之者得其人。而後可有立後世而不墜也。
非浮淺。輕僳。斬名。疚利之徒。所能庶幾於
朝夕也。苟能有於斯。則雖飲食器械之微
其於生養之方。豈曰小補而止哉。況醫藥。
生靈夭壽所關。誠能有所發於古而可傳

於後。則一死半生之術。生民之受既。蓋有
不可量者焉。夫醫意也。人身其大許幾。四
肢百骸。彼之所有。即此之所具。執柯以伐
柯。其則不遠。苟能用意精切驗己而推人
其有不得其道者哉。故東夔之人。目未嘗
知中國之書。而能自別設術立方。而多簡
徑可喜。取効奇中者。豈非以精意專一而

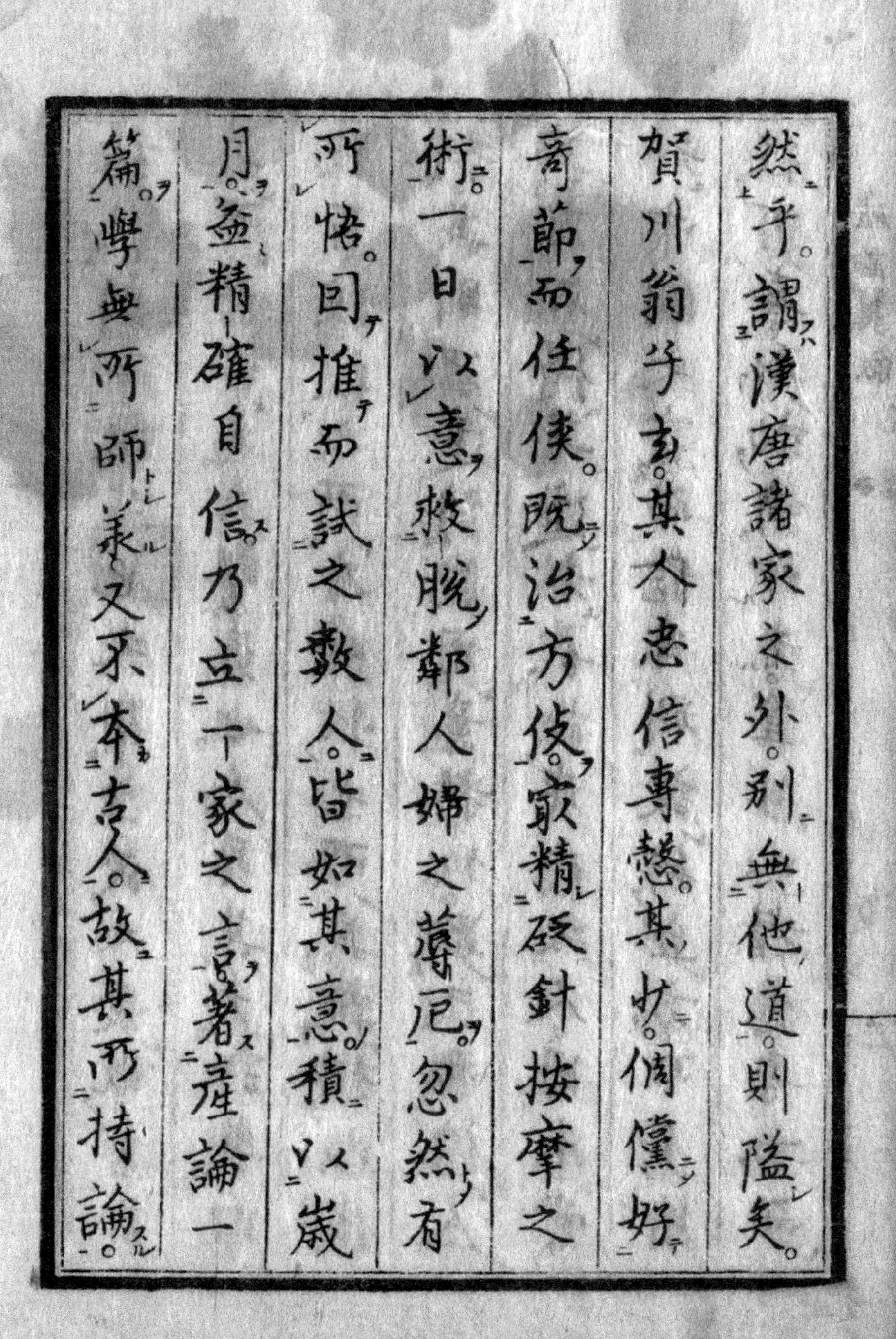

然乎。謂漢唐諸家之外。別無他道。則隘矣。賀川翁乎。其人忠信專愨。其少。倜儻好奇節。而任俠。既治方伎。最精砭針按摩之術。一日以意救脫鄰人婦之蓐厄。忽然有所悟。曰推而試之數人。皆如其意。積以歲月。益精確自信。乃立一家之言。著產論一篇。學無所師承。又不本古人。故其所持論。

初聞若可驚。然皆其所親歷而獨得。故簡
径奇中。凡產蓐之病。其變無方。而諸不能
逃其尺寸。豈所謂禀異氣而歷事變。能用
其意者耶。子啓。本岡本氏之子也。翁見其
脩業精苦。擧其術與產。不授其子而授子
啓。今以疇其學。而子啓乃取翁之書所未
備與己之新得者。作論并圖翼之。而後翁

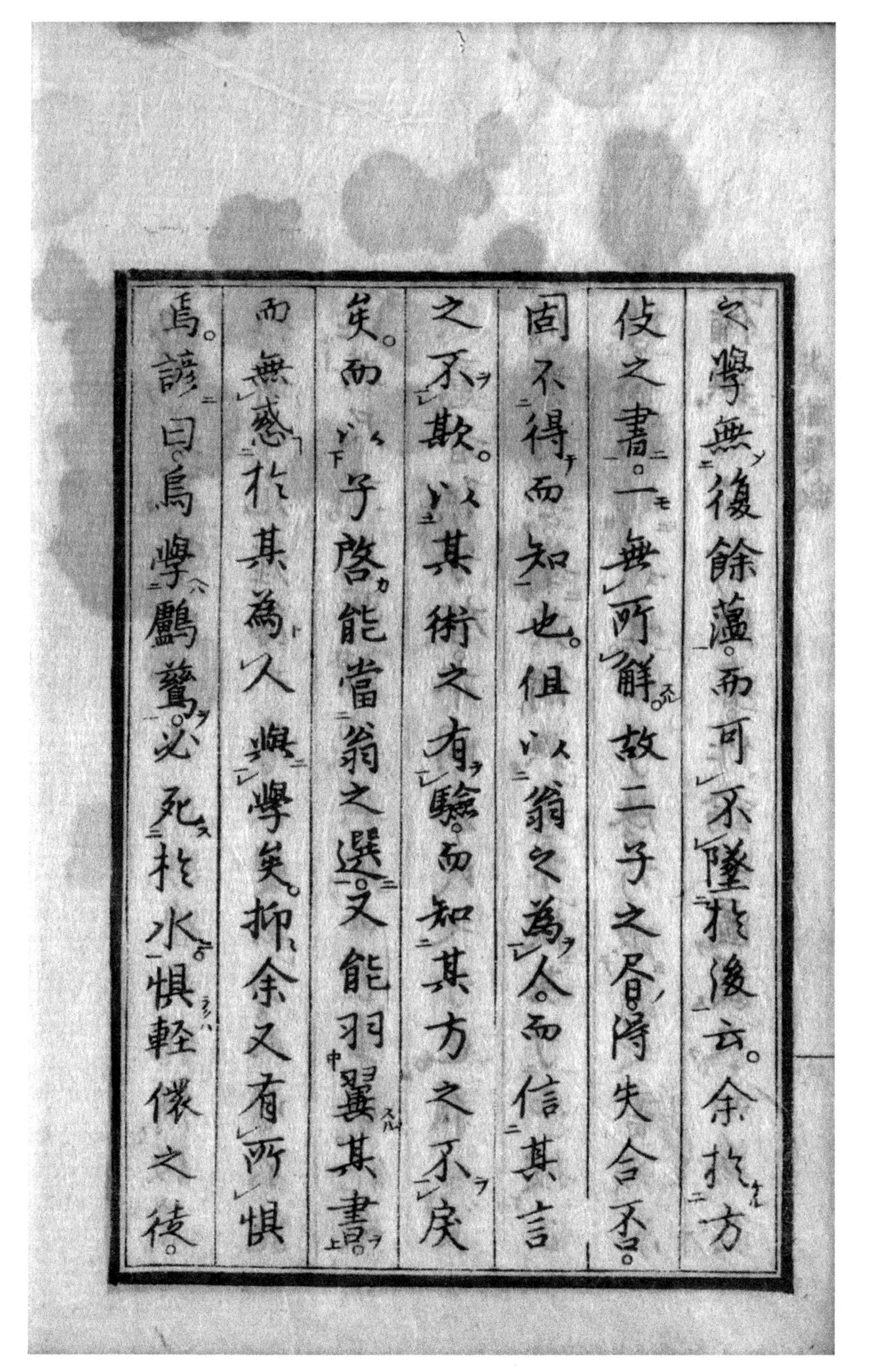

之學無復餘蘊。而可不墜於後云。余於方伎之書。一無所解。故二子之晉得失合否。固不得而知也。但以翁之爲人。而信其言之不欺。以其術之有驗。而知其方之不戾矣。而以子啓能當翁之選。又能羽翼其書。而無惑於其爲人與學矣。抑余又有所懼焉。諺曰。烏學鸕鷀。必死於水。懼輕儇之徒。

視翁之學。恍其名而効之。一廃古人成説
妄意肆臆。以禍生靈也。又懼其徒鹵莽滅
裂不盡翁之學。而禍翁之道也。夫必忠信
専慤不勸沮於毀譽。不就避於利害。如翁
而後翁可能也。必篤信勤苦。如子啓而後
翁之道可學也。其精微之術。書所不能盡
者。學者何不及翁與子啓之在焉而面受

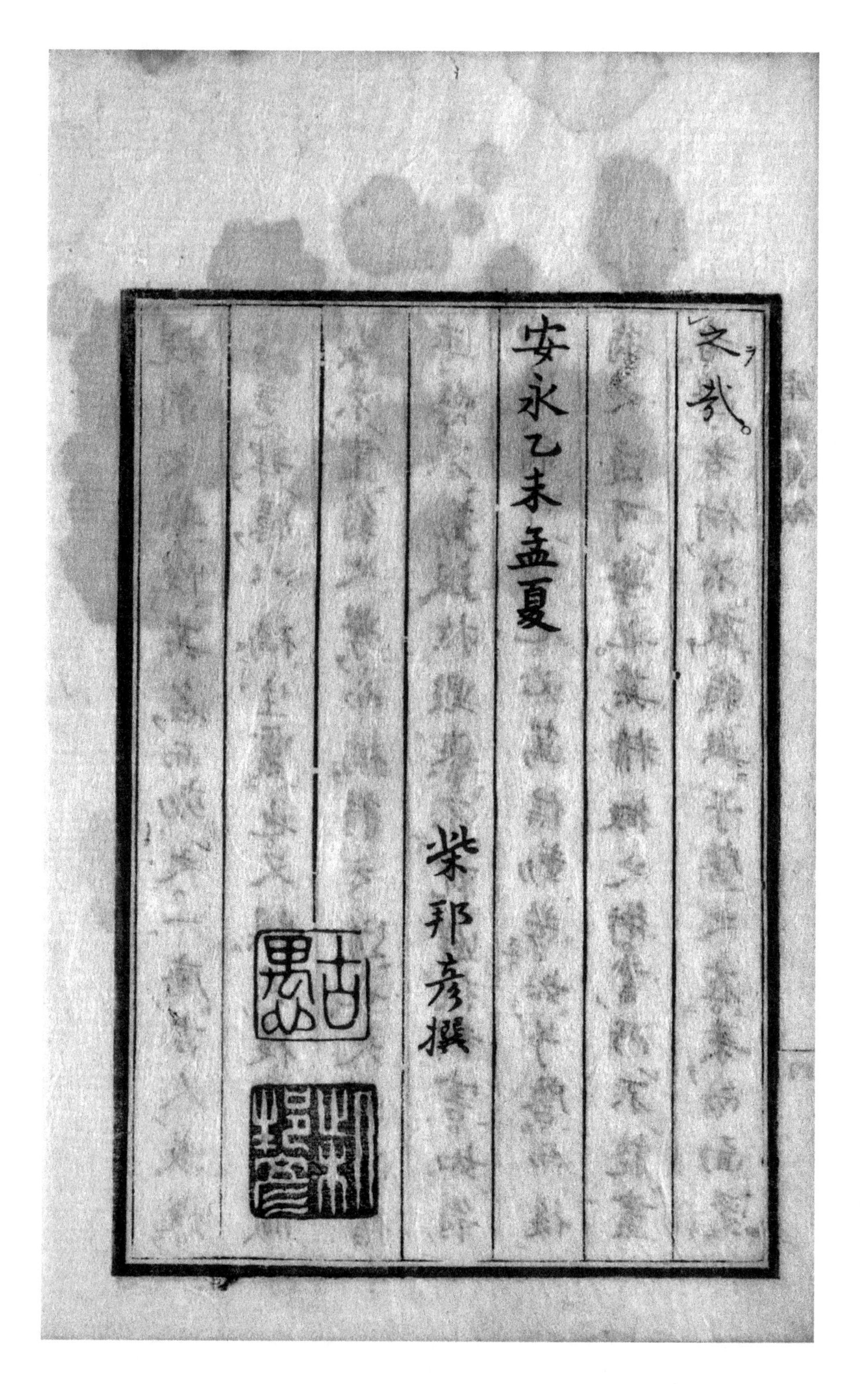
之哉。

安永乙未孟夏

紫邦彥撰

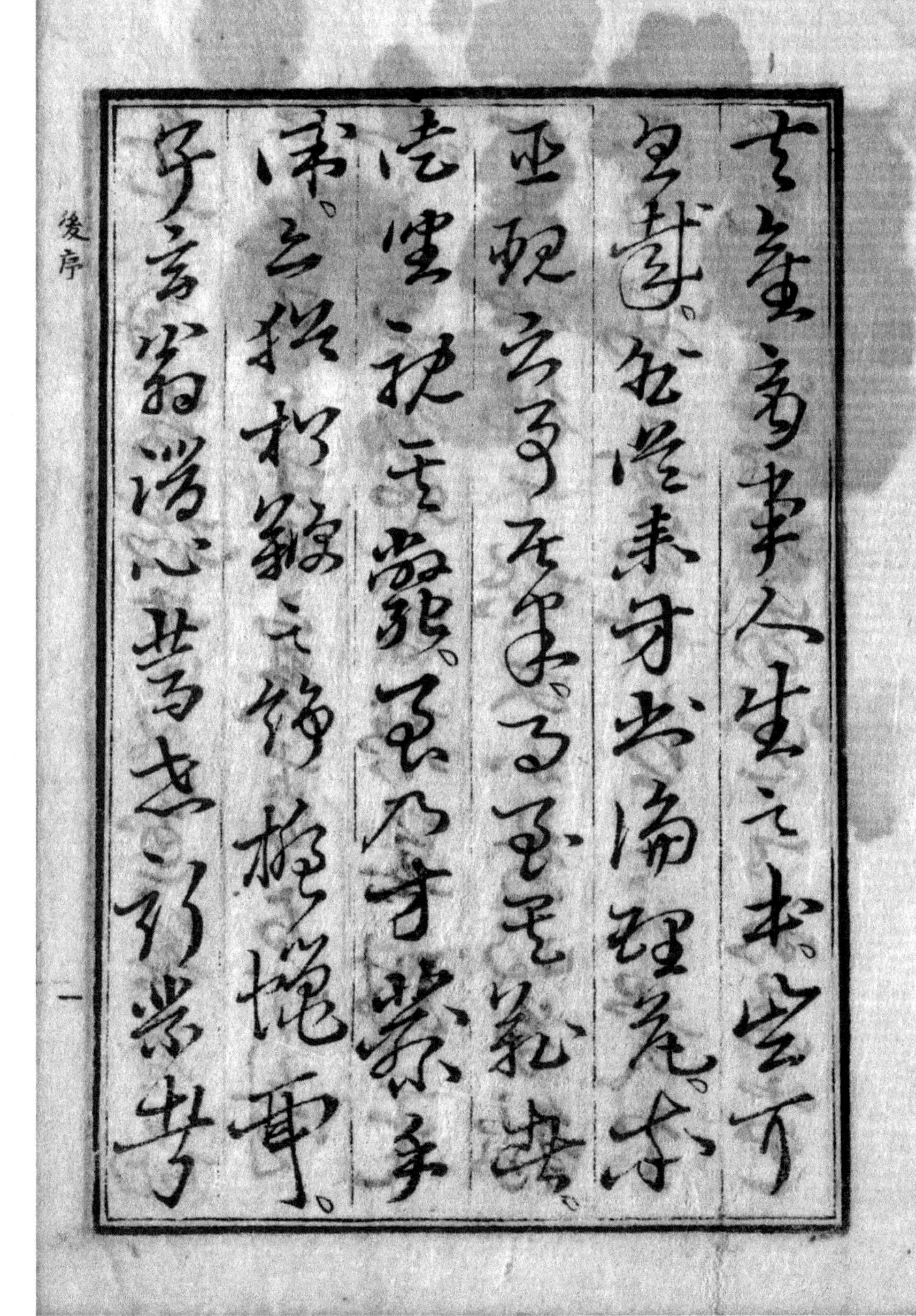

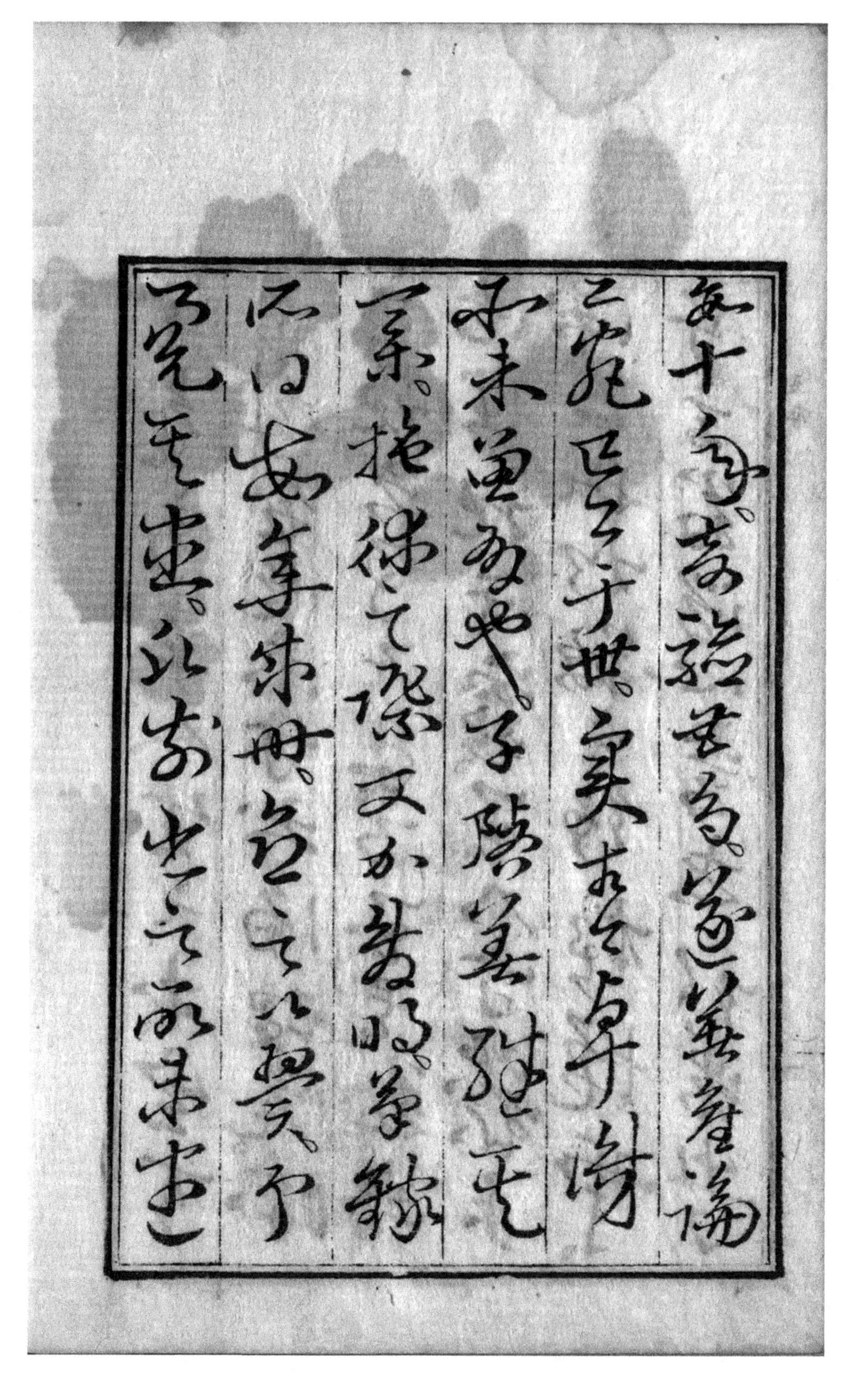

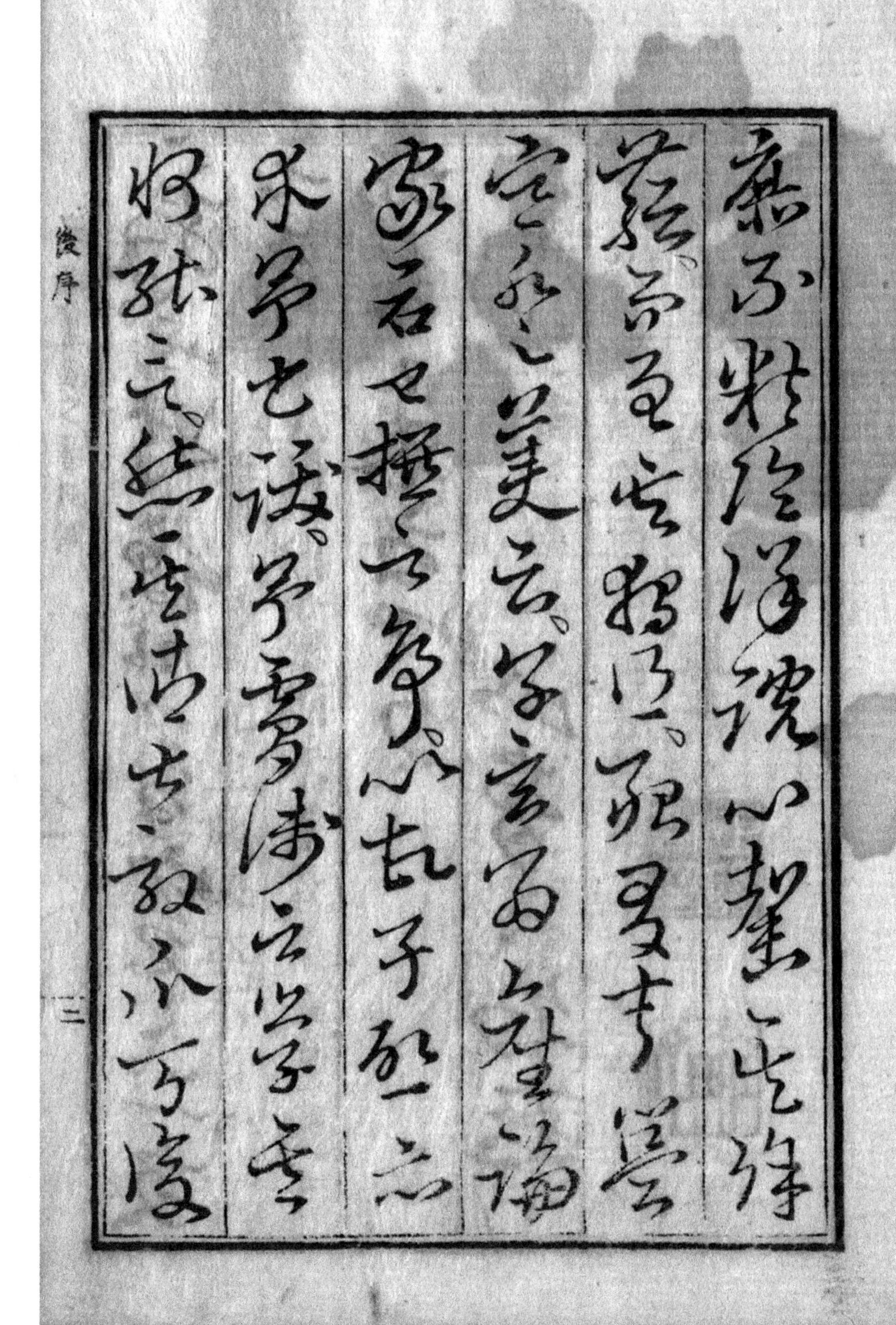

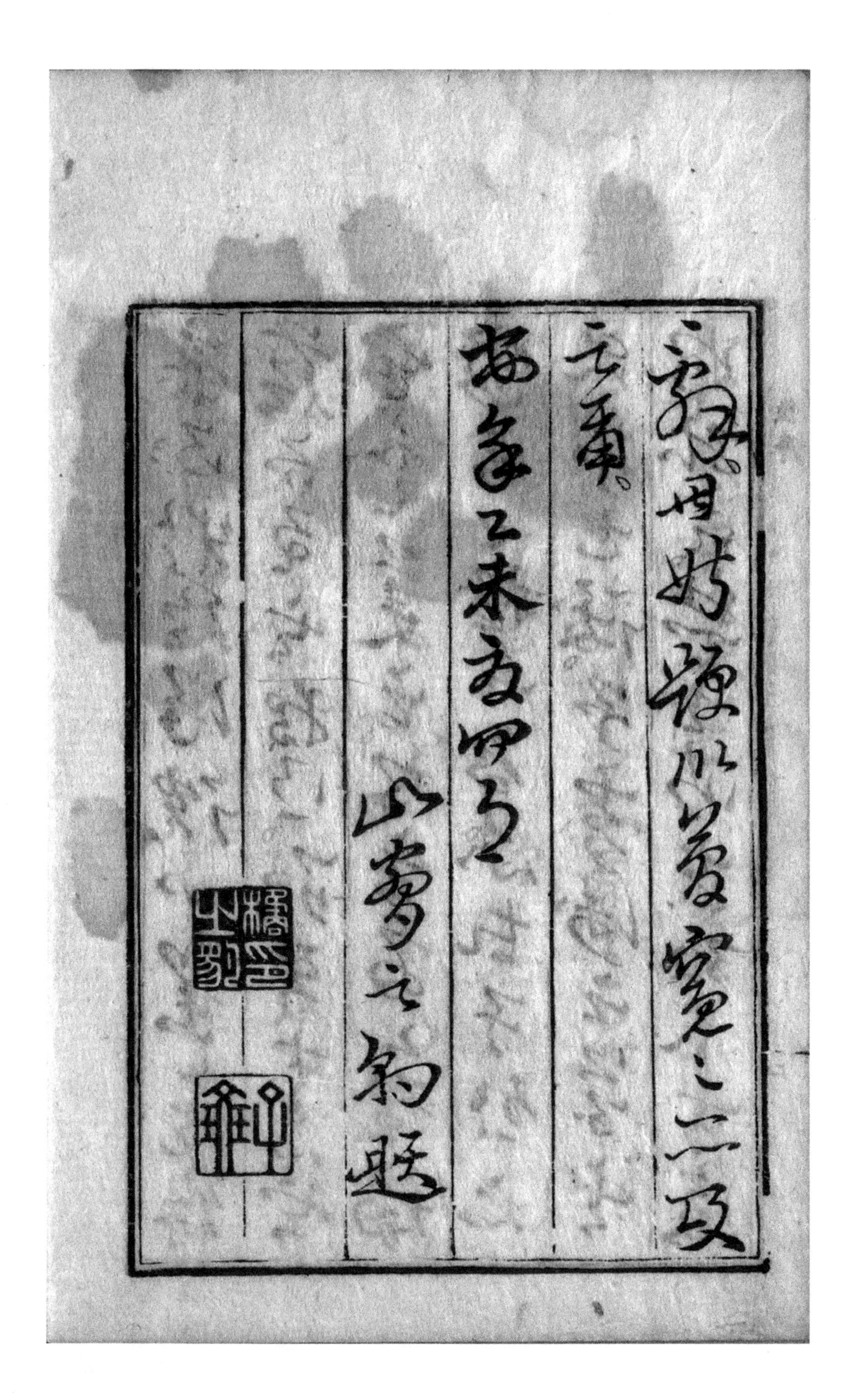

凡例

一吾門之治妊娠也救護之術什居八九此編亦惟專以明治術爲要其術不一一病一術者有之或二術三術者有之法隨症以施其揆一也以備胎前產後之急患下此則雖有諸症亦易與耳

一產論方術時有畧舉而未備者蓋識者聞一知什而昧者瞠若焉先生此舉本不過欲以擴充遺蘊所以名編曰翼也然而僕輩竊謂

比之延津劒合江浦珠雙矣故此編治術湯
藥凡在彼者此不復贅
一回生鈎胞之二術術意神奥非其人不能用
又非筆墨所能盡以故産論只擧其目而已
雖然未識此術何以得使當生者起焉初先
生之爲此編也本欲亦列二術之槩畧既又
以雖得其門而入者猶且難入室何矧私淑
紙上之言非唯無益恐却害人遂止有志之
士盍歸來親受面誨以造其微焉

一産椅鎮帯之害孕婦者天下皆是吾門日夜所務辟闢也而産論有説殆韶美不復添蛇足

一胎之死生攻補攸分治産之一大準的不可不講此編詳明其候法及嬰兒保護試乳浴法和盤托出無有靳秘亦誨人不倦之一端也

一順逆懷孕孿生横礙之諸状産論及此編反覆已盡之然尚恐昧者難達也別圖於編末

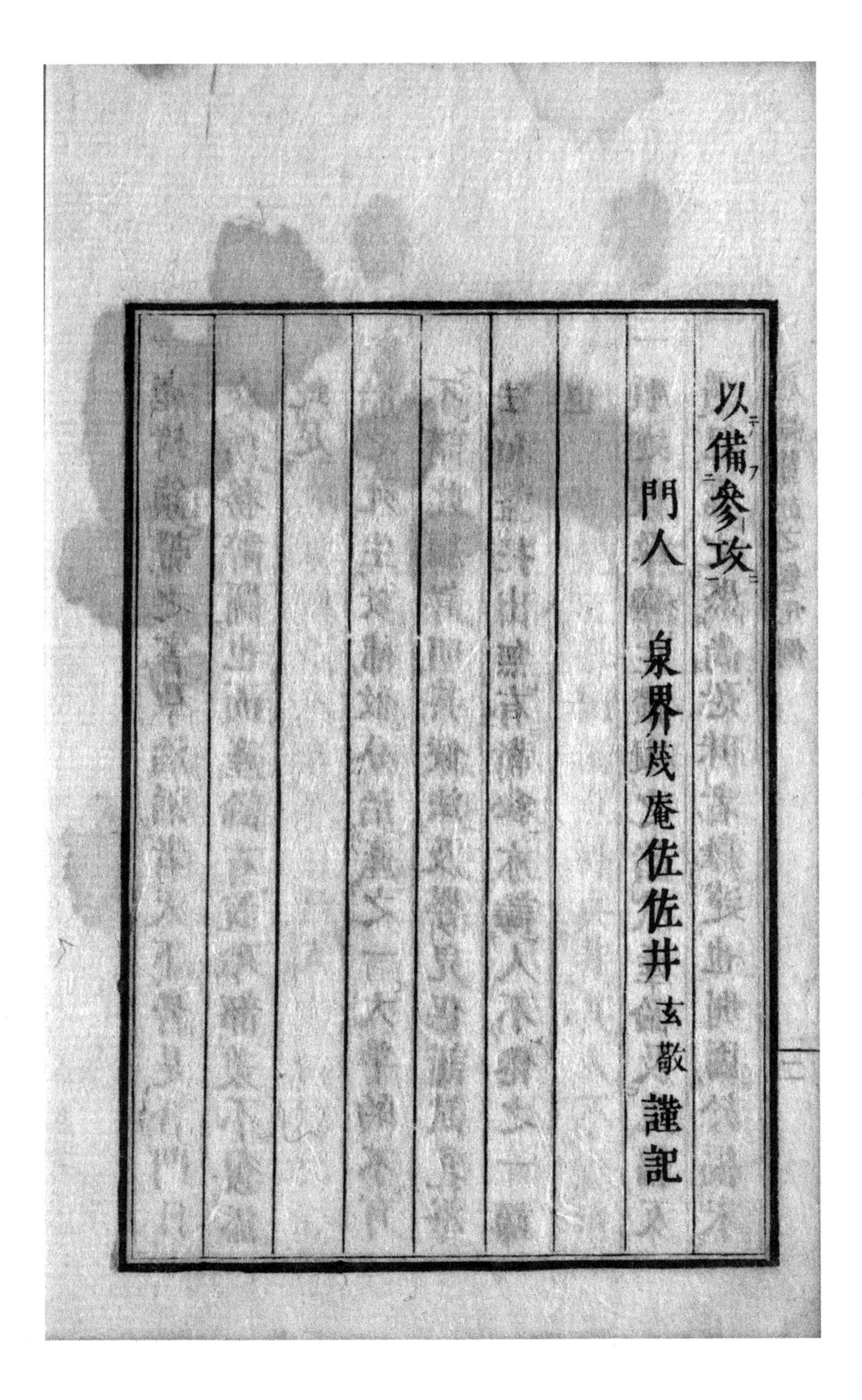

以備參攷

門人　泉界茂庵佐佐井玄敬　謹記

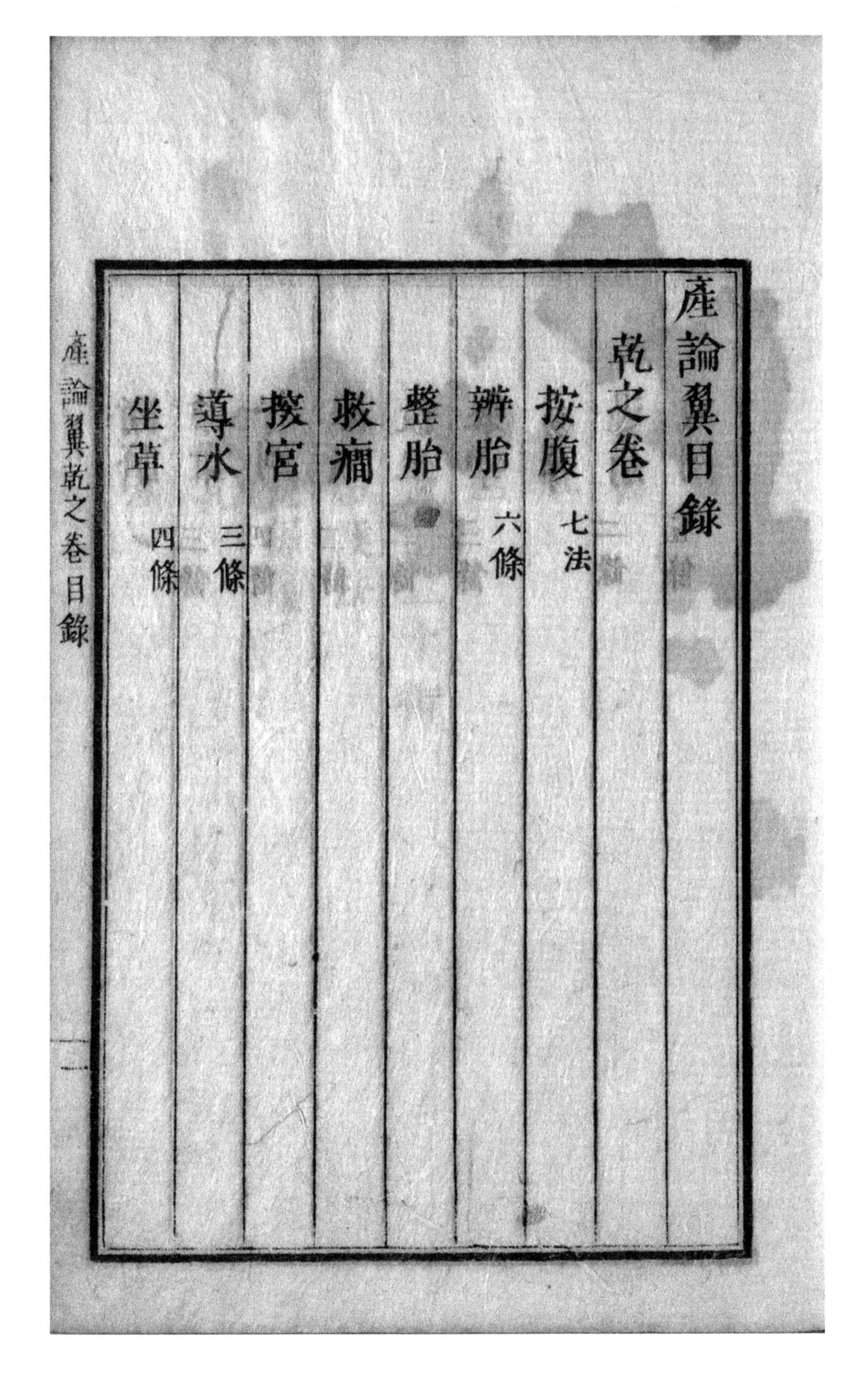

産論翼目錄

乾之卷

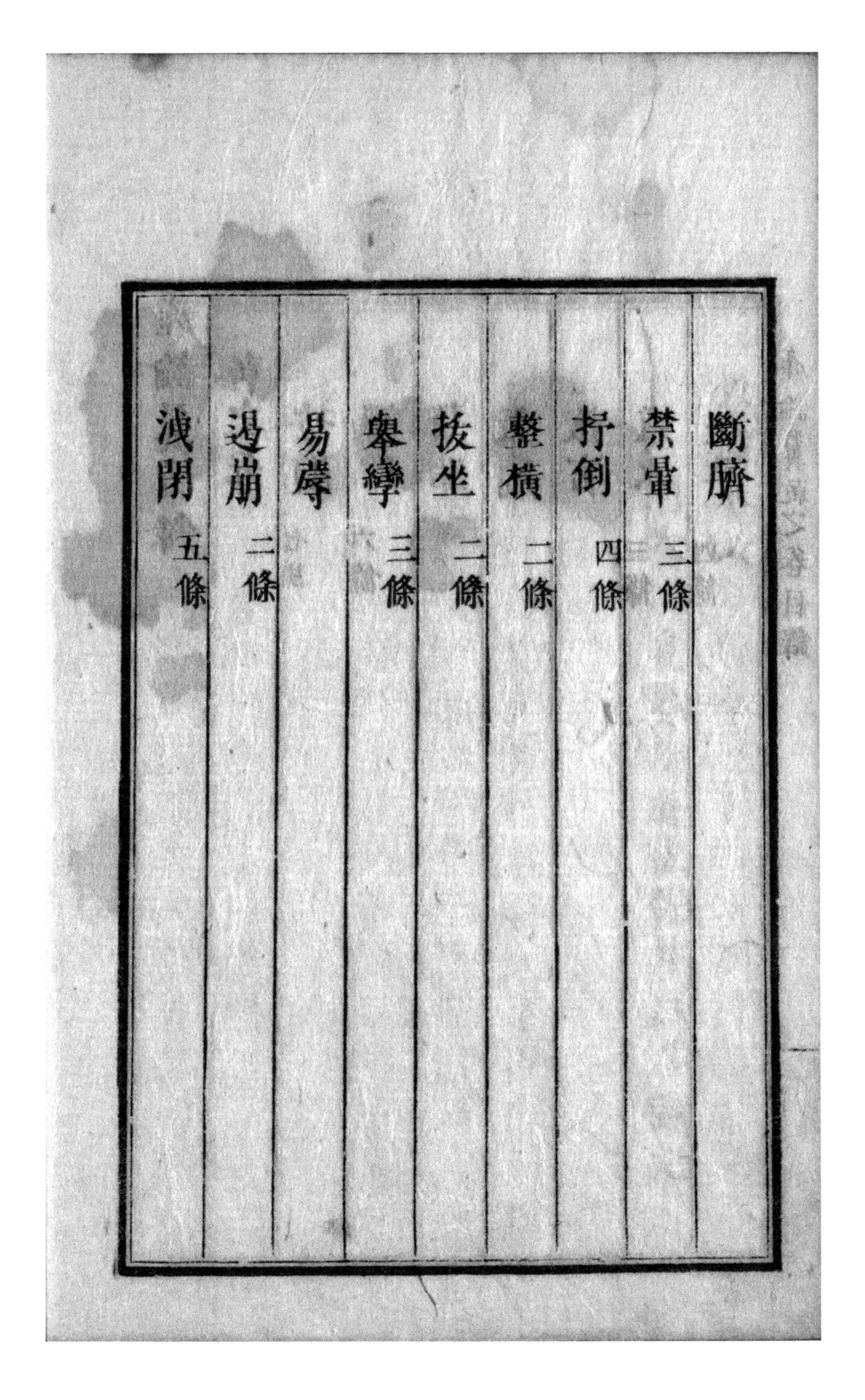

斷臍　三條
禁暈　三條
捍倒　四條
整横　二條
拔坐　二條
舉攣　三條
易嶧
遏崩　二條
減閉　五條

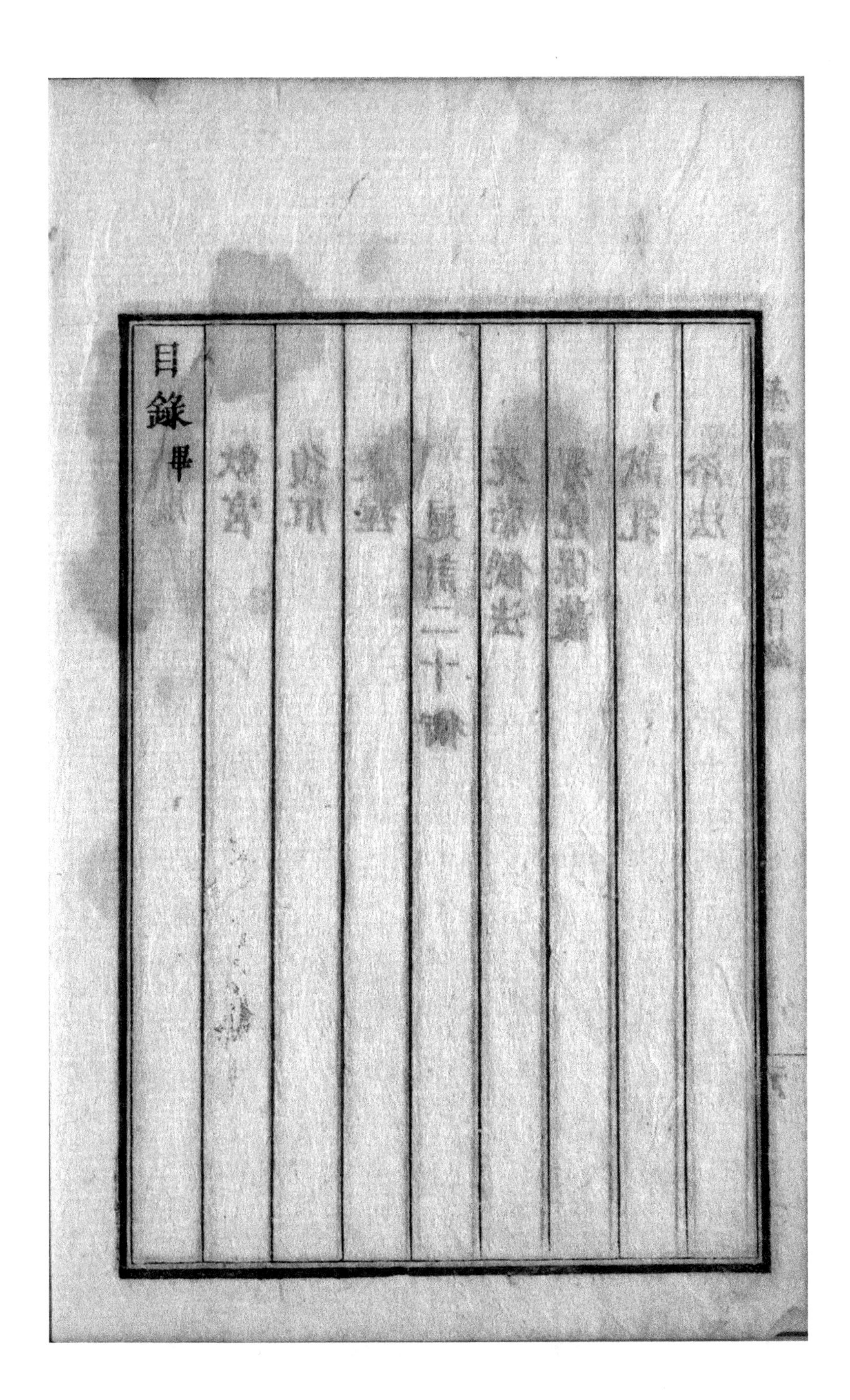
目錄畢

產論翼乾之卷

阿州醫官賀川玄迪子啓甫著

羽州　佐藤冲茂德

門人　土州　戶梶升吉夫仝挍

常州　長中行伯正

按腹

此婦人孕三四月際善用此乃必得其腹內鬱氣大散脈絡調理而惡阻之患亦得速除矣其餘不問老幼男女諸病兼用之其益不少且此

為產科所用諸手法之本源諸手法皆由此而生故凡欲通產科之諸術者此不可不最先練習熟慣也其用手之法凡七凡欲施此術者先令其婦人仰臥豎須就其左邊以左膝頭抵承其髀樞少帶推壓之意以令不得移動然後先用兩手於婦胸腹左手覆安心下右手掌當婦胸間以候其虛里之動消息須臾始入按腹之術其初第一手法先以左手掌安心下右手分排指頭從臍上至心下左右揣循其肋骨之間

漸下至心下左手視右手之揣循下亦逐勢漸
次下迄臍下而安住焉次第二手法左手仍安
臍下而用右手食中無名指頭從鳩尾沿季肋
向右脇下章門强按下之又用右手大指頭從
鳩尾向左章門强按下之左右各三遍作之次
第三手法左手仍安前處而用右手大次指從
鳩尾分夾任脉迄臍下强按下之三遍次第四
手法竪先聳腰將左手以其指頭用力覆掏婦
人右章門邊右手食中無名三指頭用力沿右

季肋推進向其右不容穴而強按之左手亦逐
其勢拘勒腹皮而舉提之又將左手仰拘其左
章門邊右手大指頭用力沿左季肋推進向其
左不容穴而強按之左手如前逐其勢拘勒腹
皮向外而舉提之各三遍次第五手法兩手中
食指頭斜相向婦人右小腹上而其八指頭皆
用力按住而拘搣向內復用兩大指相向從左
小腹上起指頭用力按住推送向外作之三遍
勢若搖櫓之狀次第六手法豎臨豎左膝聳身

將兩手從婦人兩脇向其背後以其兩指頭分
夾其脊骨第十二三椎按抑之使指骨節間有
聲而下至十六七椎邊兩手如擁抱狀而舉提
之至章門邊兩手用力捒搠向腹前相聚作之
三遍是時豎宜面婦人下部而坐而當其舉提
之時捩腰以頭反顧却面婦人上部次第七手
法用兩手食中無名指頭用力當任脉左右幽
門穴迭換徐徐按之沿季肋而下至不容至章
門漸漸按下已上凡七法其用手須着實為之

不可倉卒爲之倉卒則無功矣凡第四第五等
用手法切不可倉卒使腹皮牽急先須每於指
下徵驗其腹皮以使有餘裕然後復徐取引之
前乃得其無牽急之患

辨胎

方書中診婦人娠否多載脉例然其言率茫洋
如捕風捉影夫古人非鬼非神鑿幽洞微惡能
至斯要不過妄誕附會以奇其事耳候胎之法
産論已詳之而迫新有得一二擧之以便蒙生

令婦人仰臥先用產論按腹法更撫摩其兩脚上從股際下向脚尖熟撫數遍而後候之乃得其胎浮出全應焉

又視其眼中眼中多白多娠

又姙娠四五月任脉上多露紫筋

又捫其乳房底有若覆小盞者多娠

產論謂任脉癥成一道者爲孿胎之候然此惟五六月間見之至八九月一道者卽隱不見但腹容左右大脹狀有稜角而腹面却平是爲孿

候

又有兒胎天然兩折如弓横在母腹中者診其腹左右有物洛自運動其候大類孕胎切勿誤認

有未產而乳汁出者婦人血氣盛者多有此症方書或名之乳泣而云生子不育者大不然吾數見有此症者分娩後其子皆安穩無事方書之不可信此類甚多矣

整胎

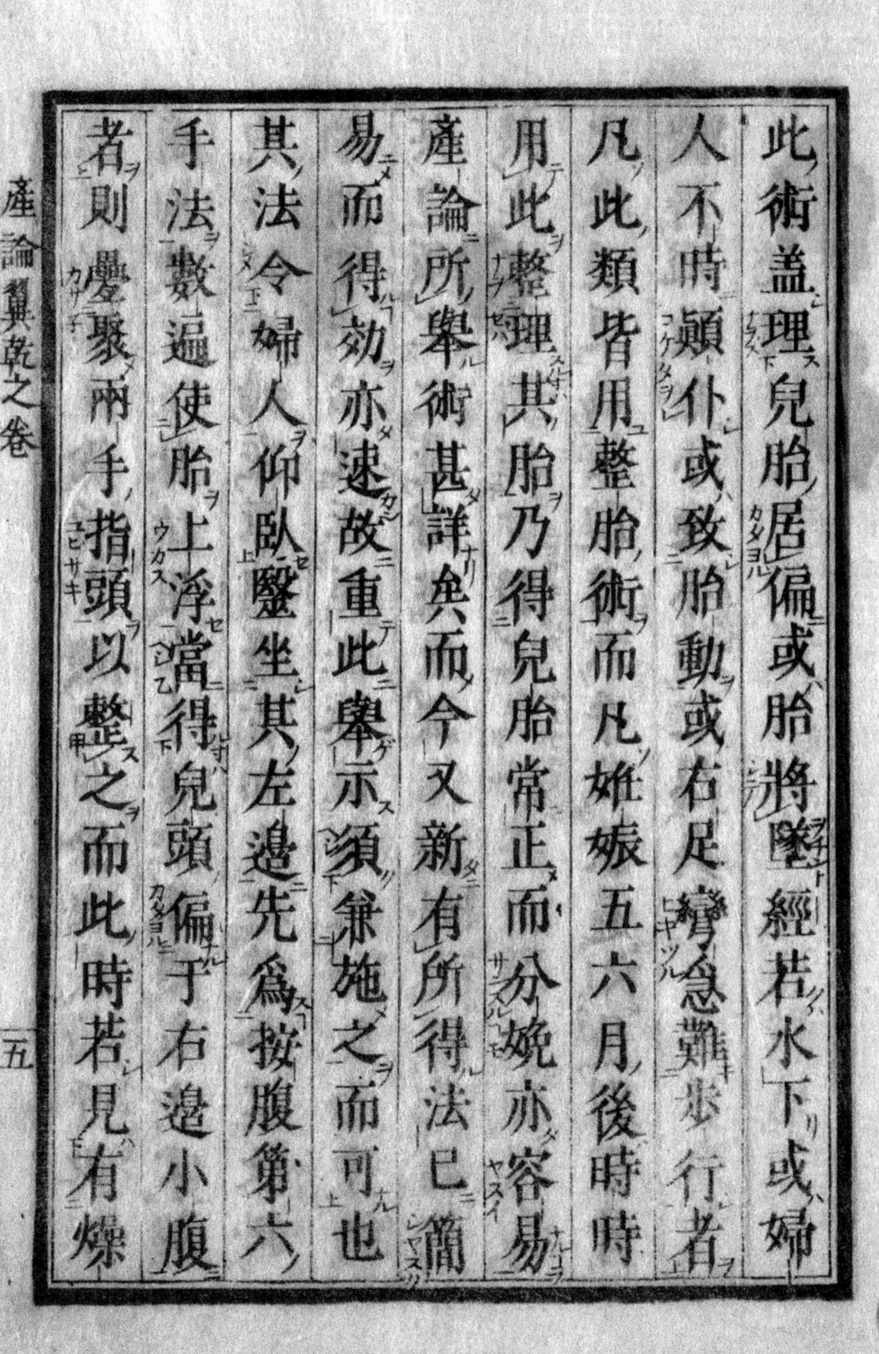

此術蓋理兒胎居偏或胎將墜經若水下或婦
人不時顛仆或致胎動或右足癵急難步行者
凡此類皆用整胎術而凡妊娠五六月後時時
用此整理其胎乃得兒胎常正而分娩亦容易
產論所舉術甚詳矣而今又新有所得法已簡
易而得効亦速故重此舉示須兼施之而可也
其法令婦人仰臥壓坐其左邊先為按腹第六
手法數遍使胎上浮當得兒頭偏于右邊小腹
者則疊聚兩手指頭以整之而此時若見有燥

屎者須如産論所言撥之而徐與其婦呼吸相適掏拽至任脉位用左手按住却用右手掌撥兒臀尻在婦左章門邊者而上之務令其敧斜胎得中正胎既正至任脉位時又須側兩手掏其兒頭上之是時豎坐法亦須斜面婦脚而坐其上之亦須注一體之力於其指頭振腰以爲之然後更爲按腹第六手法數遍如是則横骨際得疏通無小便不利之患矣

救癇

治術病候倶詳于産論但此症多有燥屎者而
姙娠七八月巳後多發之間亦有五六月發者
然甚罕而其救之不早則難得功其症皆按其
胸下有物奔上豎須及其未衝心前救之若其
已衝心口鼻出物如糞汁藥不得下咽皆自鼻
流出者十八九爲難治若口噤難得用藥者須
用拳頭強按右不容穴如産論法當得其口自
開又有一種吐舌者必死不可救又有平日多
妬夫妻反目怒火熾盛因發此病者凡此症十

八九其胎墮又有發癇中子宮自開兒頭已臨
探之應手者須用回生術及早出之不則其癇
症收復亦必遲矣又有癇後繼成狂症者又有
癇後鬱冒四五日不醒省者治方蔆連湯第二
和劑湯第五和劑湯一味熊膽已上諸方俱有
經驗須撰用之如其因致小產者若用回生術
後皆宜折衝飲後用第三和劑類調理之

蔆連湯方

人參一錢用本邦所産称草根者　黄連五分

右二味水一合半煮取一合頓服

第二和劑湯方

黄連 四分 黄芩 大黄 各五分

右以水一合煎之二三沸去滓加辰砂五分攪用

第五和劑湯方

伏令 半夏 各一錢五分 白朮 一錢

青皮 直根人參 各五分 枳實 四分

生姜 五分

右七味水二合煎取一合二勺分服

折衝飲方 見産論

第三和劑湯方 同上

探宮

此為臨産候胎之法凡産之難易胎之死生順逆横偏及娩時之遲速等專藉有此術以得預審吉凶者也産論此術附見坐草條下今為初學別作一術以詳辨之醫先以頭入婦左腋下令婦以左手靠其肩上醫右手裹綿衣入婦股

間其腕骨承婦肛門坐之而左手向婦腰腹抱
持之每陣疼至以右手承肛門者即按迎起之
陣疼一二至後去所裹綿衣遂擘開手勢以其
中指從陰門下邊入探之必從下邊者蓋其上
邊因其力息陰肉脹出不容入指也如其水漿
尚在膜中飽滿者待其張時爪破之具見產論
其辨是膜是兒頭之法摸之其物柔軟若綃包
水按之成凹者是膜也如兒頭硬且有髮須兩
指頭撮以驗之凡子宮開口周寸許而得兒頭

應指頭者此爲娩期未至之候及徑二寸許乃
是將娩之候醫須以其指頭摑轉其兒頭項上
兒頭乃得作勢其生必速矣大抵探宮陰中多
濕潤者而極乾燥者亦有之勿妄謂死胎此是
陽氣至盛者耳又有子宮口尚向後肛門探之
不得者此產論所謂橫冐子宮者此產往屬難
理近得一法須令側臥從陰戶下邊深入指捜
正其口使向前而可也又有口向上者須如前
法捜正其口使向下切莫妄謂子宮無口也

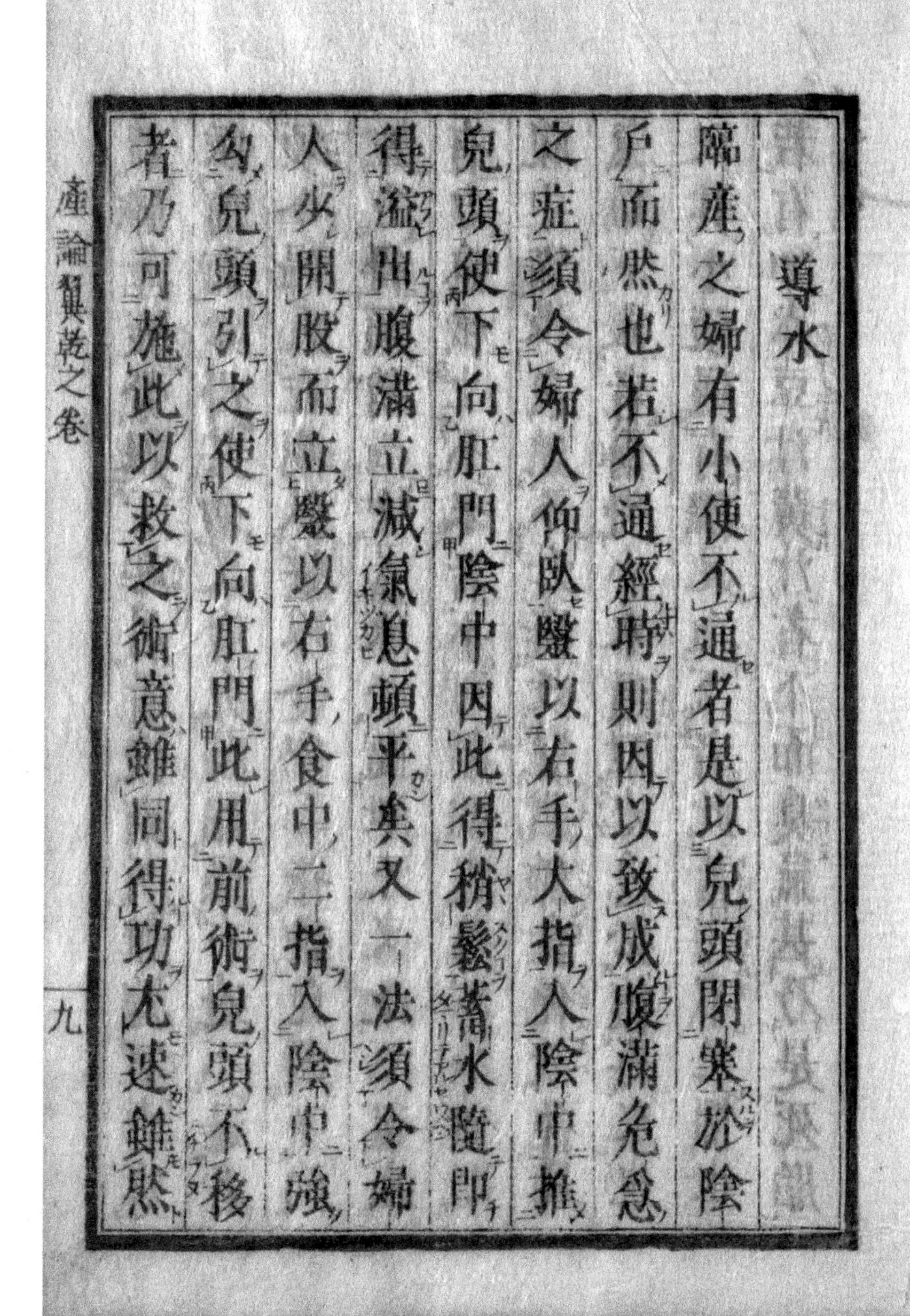

導水

臨產之婦有小使不通者是以兒頭閉塞於陰戸而然也若不通經時則因以致成腹滿危急之症須令婦人仰臥以右手大指入陰中推兒頭使下向肛門陰中因此得稍鬆蓄水隨即得溢出腹滿立減氣息頓平矣又一法須令婦人少開股而立以右手食中二指入陰中強勾兒頭引之使下向肛門此用前術兒頭不移者乃可施此以救之術意雖同得功尤速雖然

若難産疲勞艱于起居者後術所難施宜專意
依前術必得其効又有兒頭偏傾右邊不通者
須令婦人左側臥蹵以食中二指推兒頭下向
左方得頭稍向中蓄水必隨泄下又此不通症
有力息俄止不來者不可謂胎死也以小便閉
腹中滿致氣逆不升降故譬猶飽食飽飲後則
氣難下張者解得小水通泄力息必復再來也
又其小便通有纔見血下者此蓄汚不足懼也
若有如赤豆汁黄汁者下而臭氣甚乃是死胎

須用心察之有胎已死夾于陰戸經日不免腹因脹如鼓逆上義嘔吐若此爲甚危急之症須先用前術取小便通然後依回生術救之救後或有水飲大通若暴瀉者如虚乏之婦脉成微細不能飲食者須用綿衣巻住陰門以令徐徐通之胞衣亦不可急取若使胞床瘀血一時倶下恐致陽脱而死須暫時消息藥食兼進候脉息稍復然後下其胞衣焉

坐草

産論所載有術二條今新又有得三法書以示初學新術三法第一娩候已至豎竪左膝坐于婦前以頭入婦左腋下而左肩承婦之胸膛令婦兩手緊持豎帶而豎覆左手抵婦右小腹右手從其股間入鼻按肛門其次第二別令人就婦背後以兩手從婦兩腋下入向腹前擁之而其指頭向下其掌貼撫其任脉之左右微帶下推之意而毎陣疼至輙上提之次第三懸縄於屋梁令婦人兩手攀之及兒頭既出産戶豎以

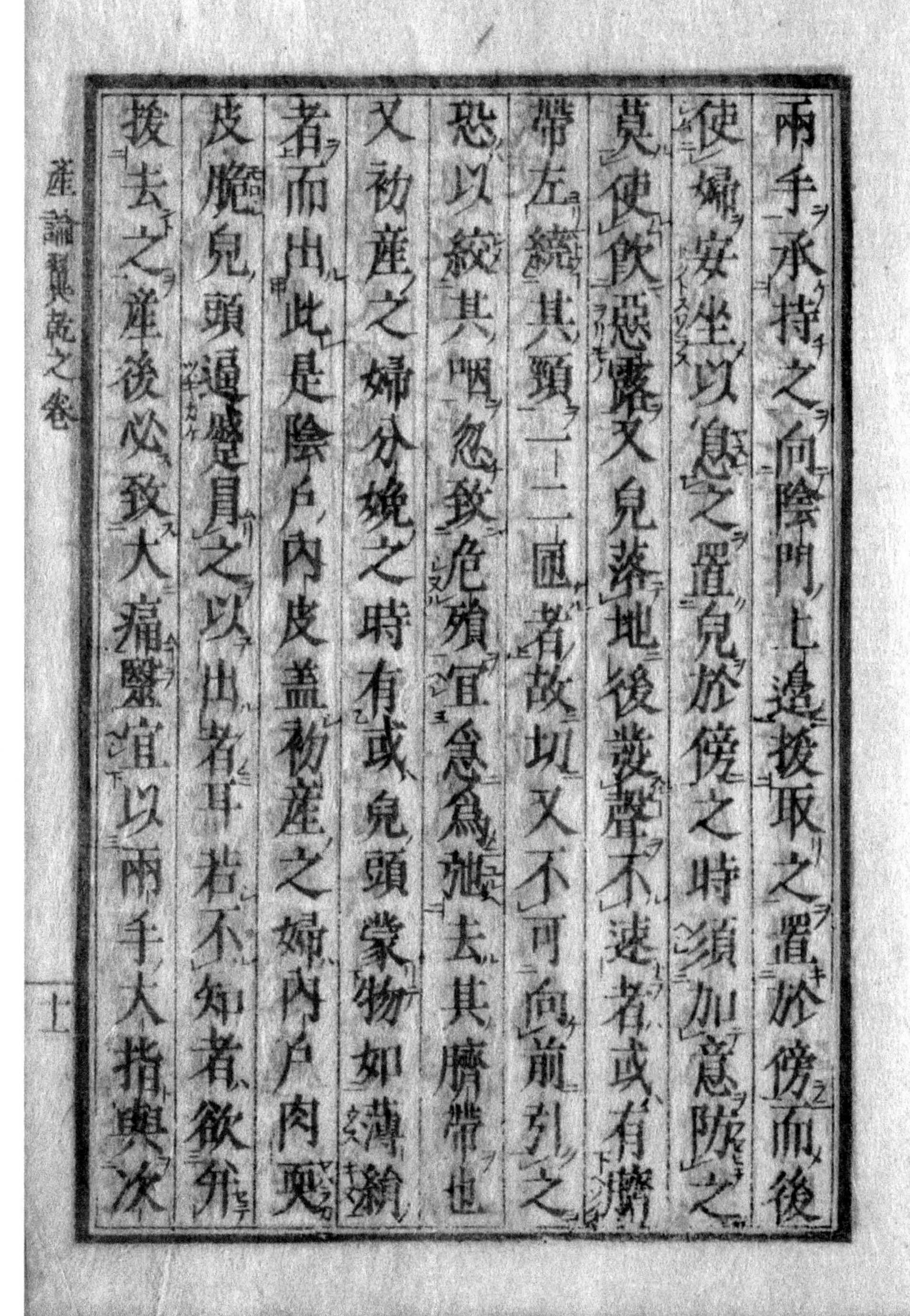
兩手承持之向陰門上邊撥取之置於傍而後
使婦安坐以息之置兒於傍之時須加意防之
莫使飲惡露又兒落地後發聲不速者或有臍
帶左繞其頸一二匝者故切又不可向前引之
恐以絞其咽忽致危殆宜急爲撥去其臍帶也
又初產之婦分娩之時有或兒頭蒙物如薄絹
者而出此是陰戶內皮蓋初產之婦內戶肉更
皮脆兒頭過壓冒之以出者耳若不知者欲外
撥去之產後必致大痛宜以兩手大指與次

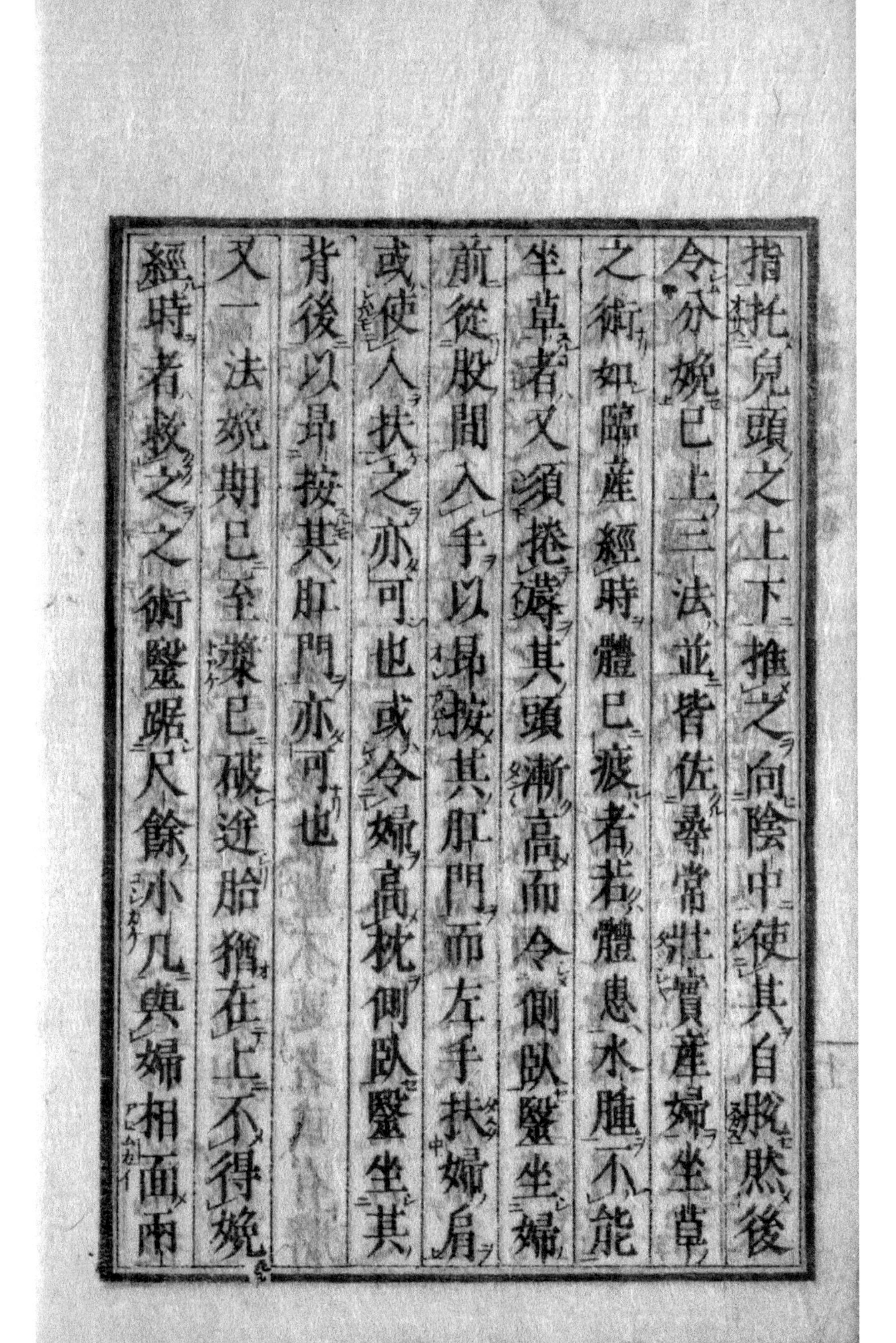

指托兒頭之上下推之向陰中使其自腹然後
令分娩已上三法並皆佐尋常壯實產婦坐草
之術如臨產經時體已疲者若體患水腫不能
坐草者又須捲蓐其頭漸高而令側臥鑒坐婦
前從股間入手以昂按其肛門而左手扶婦肩
或使人扶之亦可也或令婦高枕側臥鑒坐其
背後以昂按其肛門亦可也
又一法娩期已至漿已破迸胎猶在上不得娩
經時者救之之術鑒踞尺餘小几與婦相面而

手指頭向上以其掌按不容宂左右令婦兩手
緊持毉頭舉體懸住毉左右膝頭着婦小腹毉
仍生腰反背毎陣疼至作之其胎乃自然得下
向入門又有死胎處深按之不得者先用此術
後依回生術救其佗臨産經日嘔逆胎因致上
逼心下者亦同前
如産前患水腫陰門腫滿跪坐不能兩股相湊
亦被觸之亦作痛苦者其分娩時兒頭臨出必
不堪大痛若不早理致艱害而此症非藥物之

所能理須三稜針用麻絲扎露鋒可一分刺陰門分肉處四周無算仍以綿衣羃覆其上輕手撚去其畜水刺口水出其腫立消其產甚易又有非水腫而產前後陰門大腫痛其色赤者切不可針若誤針則血出大痛但須用竜翔飲如上云水腫者其色白針之不覺其痛

竜翔飲方 見產論

近聞清人所著達生編其理孕護胎用布約纏兩道横束腰間此推其旨正與本邦用鎮帶者

同則其害孕非淺鮮也至云臨産但上床安睡切忌用力因取譬哺鷄自能啄殼自出是爲時候未到妄用力者言之其理則稍似可聞但其已失之於平時者豈唯時候未到妄用力者而已哉恨無人航海爲彼民一告此者耳

斷臍

凡斷臍帶有二要附臍者宜短且去血附胞者宜長且不去血附臍者長宜四五寸須用手指扼之使其帶中黑血不得滯着而留四五寸用

麻線繫之距繫寸許復一繫繫訖後竹刀截去
其兩繫中間所以必短者俗多以中人之臂腕
至肘相距間爲度截之者誤也蓋帶長則其乾
必遲以此蟠屈着兒腹上兒往往因致感寒腹
痛當深戒所以去血者以血去則易早乾故也
附胞帶所以必繫之者以備若胞衣難下之時
攀曳易爲力若不預繫帶中血盡則忽皺縮成
細小不便把持也故如穩婦雖不用繫而可也
又遇胞衣難下者亟須先斷臍帶使其兒先就

浴爲良

禁暈

病候詳見産論而其治術余別有所得就婦人左邊而立右手搭其背左手按住其腹上衝之物推送之於委食本位暈止甚速然其手稍緩輙復發矣故若任産婦在椅中廼永無平定之期須不放左手仍扶出椅就蓐右側臥過一二時則得平定平定後左右臥從其便而可也上所言乃治産論所云血氣上起與食穀相搏

其頭必仰者之暈之術也又因瘀血衝心而暈者術須先禁暈豎以左手大次指緊按左右不容穴則知知則如法右側臥灌折衝飲抽刀散類又因脫血而暈者或即死或二三暈即死尤爲難治先須遏血術詳遏崩條然後依左手按不容之術而後右側臥治方第一和劑湯或第

四和劑湯

折衝飲方　見産論

抽刀散方

用五靈脂一味爲末每服一錢白湯調下

二三服

第一和劑湯方見產論

第四和劑湯方同上

捍倒

產論說此三術甚詳今新有三術爲初學記之

凡用捍倒之術手須輕捷稍遲兒則死若兒死

足腹皆出而兩臂礙住不得出者須令婦人左

側臥從陰門下邊入左中指當撥得兒左肩髆

是時須以其指頭循其膊而漸移索其臂彎臂彎既得則以指頭拘而引之其臂乃得屈折而出又令右側臥以右手撥兒右臂出之如前兩臂已出後若兒頭仍拒橫骨不出者醫當須以綿衣裹兒體兩手捉持之向裏面一送就勢卽撥乃出若猶不得出者令婦以尻端踞天餘小兀上醫坐其前綿衣裹兒兩手緊捉聳腰兩肘後專用力以引撥之猶不出者令婦頭漸高仰臥醫左手緊曳兒體而右手中指從陰門下邊

入以撥應得其兒口頷指頭就以入口中稍緩
左手而右手引一引得兒頭下俛廼出其左手
始緊曳者以兒稍高則不可得其口頷故也用
此術者靡不得免者矣又有頭凝横骨難出産
婆誤強引致首體分裂而拒留腹中指撥之播
滑難取者須令産婦匍匐別使一人手拥其腹
緊緊按住推下向小腹不容手爾後依回生
術出之凡逆生者其胞衣多連兒併出以胞元
蓋在兒膏肓上故也

整横

皃手指若肘先露者名曰横産術見産論然露巳及聘者不可復順正宜依回生術以救之又横産有撥得其背者須令婦高枕開股仰臥竪用左手指頭推轉上送之得其腰曲灣之處即用左指頭從皃股間入拘其髀曳之其脚乃出若不出者依回生術救之閲逆生編有治倒生横生法曰急令安睡托入手足再睡一夜自然生其言果是邪今夫平人一有動心不能着睡

矧産難之露手足者雖以千萬慰諭無安睡之
理何況再睡耳如倒生非卒然之變動自臍胎
而然以此吾門得姙娠八九月按腹使知之
也彼乃又言是時候未至妄自用力之故大可
笑雖然醫書多妄誕不止一達生編也噫

拔坐

救坐產術產論附拇倒條下而其說名狀未詳
亦不言用手之法故此明之凡探宮得子臂尻
若後陰若前陰者名坐產而此症余嘗救數十

人未見兒盤膝坐者獨其體成兩折頭脚相會
脚尖倒朝母乳前者甚多因思古人有坐產之
名唯以得其臀尻命之者耳救之之術須豎坐
婦前而令婦左側臥伸其脚翹其右脚於豎肩
上使一人扶持其脚豎豎左膝而坐進身入婦
股間而以右手中指入陰中漸擠其胎之臀尻
使轉向上以索其脚是時當使婦勿力息力息
則使其兒背愈下脚愈上故也既胎臀得偏移
左兒左脚可探陰中亦乃得寬鬆有餘地便可

手法施展是時須用心候其胎之死活活胎先須以中指探之挑出兒左脚後令婦右側臥撥出兒右脚如前法兩脚出後高枕仰臥開股豎兩膝兒脚裹綿衣引拔之如抒倒術然坐産兒活胎者千百中僅一二耳若死胎依回生術救之

擧攣

治術詳見産論而今有緒言一二附列于左凡遇攣胎分娩之時須視其胎差有窺意者先出

之若夫順產斯首向下者不必令婦仰臥惟用坐草術扶之而可也一胎已娩後推其後胎向腹中央用按腹第六術數遍後待婦力息復至然後使娩之力息未至切莫強欲出之若死胎須用回生術若雙逆產見兩兒臀尻者產論不言其術此尤爲至難之產若依疑不決必致子母雙斃須令婦仰臥視其胎差有競意者隨其方上之斜側臥醫從其小腹推其胎使向下然後依回生術救之一胎已出後推其後胎向腹

中央待力息至然後使娩雖纔得一足須急以
綿衣裹引拔之又有一兒手一兒足齊露者須
托其手使入內而持其足急引拔之又順產有
一時探之得兒頭與肩併出者狀大與雙胎相
類宜審辨別切勿誤認有圖見下凡雙胎一順
一逆者其先娩者其兒體必小以其受胎在後
故其所處亦近所以先娩如後娩者必大以其
受胎在前故其所處亦遠故後娩多滿月之胎
先娩多未滿之胎凡孿胎胞衣其大倍尋常須

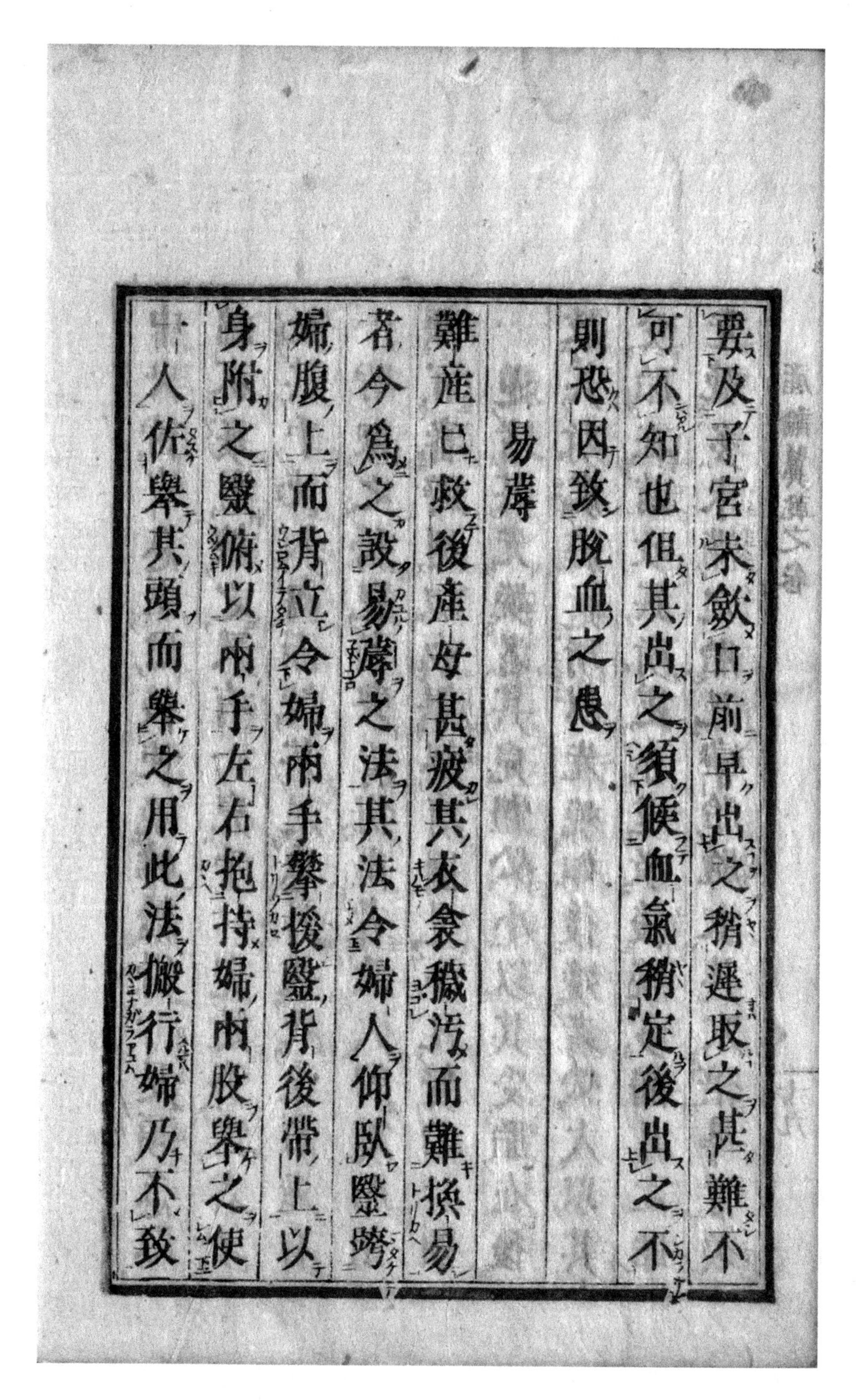

要及子宮未斂口前早出之稍遲取之甚難不可不知也但其出之須候血氣稍定後出之不則恐因致脫血之患

易産

難産已救後産每甚疲其衣衾穢汚而難換易者今爲之設易産之法其法令婦人仰臥豎膝婦腹上而背立令婦兩手攀援豎背後帶上以身附之豎俯以兩手左右抱持婦兩股舉之使一人佐舉其頭而舉之用此法撇行婦乃不致

搊動可以左右隨便移易其蓐極妙其設蓐高

枕等法産論已詳之

過崩

凡卒暴大血脫下名之曰崩崩之因有數種有

分娩後産婆欲下胞強按腹動血因致之者有

分身後即緊束鎮帶仍起坐就椅因致之者又

有發嘔吐輙血大出者又胞未至而崩仍發暈

者尤爲極惡候又有因産後房勞而崩者又有

平日經行不順一二三月閉後忽崩且發暈者而

前數症又有發寒慄者寒慄是爲屬血熱又有
五十上下婦人經水欲斷忽致崩者凡救崩須
急赴之如產論所述而產論言其術唯舉梗槩
不致詳細今因詳明之左方醫急右足跨其臥
婦脚上而屈左膝斜掩婦右腰着左膝上使伸
兩脚其左腿灣自着其右膝髕前掩之之法亦
須以其左手從婦右肩上進向左脇下掩持之
以右手提婦左腿仍幾小腹仍戾身微左顧乃
得婦陰戶緊閉暴下即止又是時宜婦頭低若

暈者醫右手按其不容而可也有鎮帶者急解去灌藥脈微細者宜第四和劑湯類輕症者宜四物膠艾湯按腹則痛腹中有塊有力息血熱甚者宜折衝飲大便秘脈數心下痞鞕面赤逆上者第六和劑湯竜騰飲調理太補湯

又過崩一法

令婦人側臥醫就背後而坐以一手按婦脊肉一手持婦側臥在下之足提上之亦可經閉微崩下者往往後多繼致懷孕此是以瘀血盡中

氣清和故也又有脫下後血虛者手足覺湯水滲入者尤須加調養

第六和劑湯方

黄連　　黄芩　　山卮子

大黄　　黄蘗各五分　甘草一分

右六味以水二合煮取一合三勺温服

折衝飲方見産論

竜騰飲方同上

太補湯方同上

第四和劑湯方 同上

四物膠艾湯方 同上

洩閉

此故世呼轉胞者之術而是症難産婦尤多患此者余嘗數救此症診其腹率皆其左小腹水道穴邊脹起甚則通腹脹悶如皷因知此本非真胞系了戾者特以其小便不利強起其名者也凡患此者有二種其一臨産兒未出産婆強按其腹腹内子宮與兒胎相摩輒子宮因致傷

腫起脹墜以閉塞尿道而懸其一六子宮追下梗于便道此二十一症其因雖異其候則同拯之之術凡有四其一按腹第六術為之數遍若不通者令婦仰臥醫就其右脇邊坐聚兩手指頭而按其左水道穴上拘挽向前子宮因此拘挽起畜水乃出若猶不通者醫就婦前跪坐尺許小几先俾進兩臂指頭下向以掌按婦左右水道穴邊脹起之處此兩手用力意各不同右以推托為主左以抵拒為主而用其力又須更以其

右膝頭當右肘後骨佐以撐之左膝頭當左肘
後骨佐以支拒之是時又須令婦以兩手掛竪
頸以其身懸任之竪仍微反已身而以左顧亦
其子宮得拘起而畜水乃出若猶不治者令婦
仰臥竪蹲其婦當其膝上面婦立仍俯以兩手
掌側骨承其水道究脹起處用力推托上其左
右手意畧與前同而此法尤妙畜水隨手而出
又有腹滿每搖動聞水聲狀若欲暴瀉而泳却
不通者若不導之水而腹卒暴覺痛必死此益

分娩後子宮未收塞在陰中以閉尿道故致然
也此時醫須以右手分大指次指當横骨之際
承其腹而以其掌側骨隔腹皮撥其子宮徐徐
推之令上收乃得畜水隨手通泄可以免危斃
矣治方玄英湯危急者錫圭丸

玄英湯方見産論

錫圭丸方

大戟　甘遂　蕎麥各一錢

大黄八分　巴豆七分

右五味爲末粳米糊丸粟子大每服五六十丸
白湯送下

納腸

凡腸出者臨産時候未到強令努力因致腸脫
出者也若不早收乃乾澁難入以成終年之患
甚多納之之法綿衣漬温湯若煎葱汁頻頻換
之以蒸温其腸又以海羅汁若燈油之類塗潤
之然後令婦竪兩膝蹲坐醫就其右邊徐取其
腸所脫出者先自上邊肉際著起以指撥疊以

漸托入之其餘在外者束之作一處仰右手捱
傍陰門以截之五指皆内向以束持之令婦右
手搭豎左肩別使人捲蓐以帶繫之以此蓐承
婦腰眼邊而又手托承婦頭豎以左手抵承婦
背後令婦身委任而臥則當背反腹脹是時以
右手所截腸齊時托送即得歛去歛後欲小使
須以綿衣罨陰門上徐徐使逼不然恐復脫出
治方第一和劑湯類可也此本産論歛宮之術
而彼以左膝辨抵腰後以承婦身臥其術非有

臂力者頗難施用今因以捲舂代之

第一和劑湯方見産論

歛宮

一名收宮此亦産時強努力致子宮出娩後未能歛者歛之之術與上納腸之術同但腸與子宮恐難辨認今因詳之腸大而無口其色灰白如子宮乃其形圓如曲腰匏有口向下其色赤而有灰白色横文以此辨之可也又娩後有胞衣下後被膜尚遺陰戸爽之外見其端者須試

展之得展開乃是被膜之餘遺也當引拔之
又難産後有遂患小便自利者凡難産婦人後
必多患此症蓋以其分娩時兒頭久夾不出其
子宮後遂習大開而不能斂口因致尿道不禁
利其小便不覺自出而然若遇患此者當教之
令其夜臥常自伸其兩脚三四十日後其子宮
自得斂口而此患乃除若在産椅臥不伸脚者
必成終身之患矣不可不以丁寧告戒也此症
若因又致腹脹者依鴻閣術教之 術見前

復肛

令婦人側臥着枕于耳垂下温湯葱汁之類蒸温其脱肛海羅熗油之類塗潤之襞疊聚束右手載之令婦身極反就勢推送意一如納腸法即得收口復後須要令大便不結大便結必復脱出治方竜騰飲朱明丸類二方見産論

救痓

此小産後角弓反張者救之之術凡遇此症須急走就其右邊而立以左膝抵婦背後右足之

跗當婦右膝前俯身左手托婦左肩以右手大次二指強撥婦不容亢竪仍自退其右脚以其脚指與膝頭着地後踵承右臀下而屈折坐是時就其坐勢齊時兩手仍前勢以引婦身使與已身相貼依而欹臥之急則使人引伸其兩脚以此術折其反張之勢再不復發但竪抵其背後之脚要猶着其背後不相離暫時焉

通計二十術

死胎候法

凡胎死生之候是産科施術緩急險易之所由分者不明之其誤人必多矣不可不預知也故今緝錄産論中所有候法散出諸處者尚附所新得一二以爲物學開列于左

孕婦患水腫或有不能及臨月八九月娩免者多死胎其能至彌月者此禀賦堅強幸免其死者然千百中有一二而已

凡姙娠八九月因食傷而娩者多死胎凡因食

傷而娩者雖臨月之胎其所出娩兒能育者甚少

娩

凡臨產不娩經四五日忽乳汁出必是死胎

凡產婦嘔吐不止氣上衝心者死胎

凡陰中出黃汁如赤豆汁者爲死胎

凡發子癇者多死胎少活胎

凡姙中顛仆而娩者多死胎亦多橫生

凡腰間忽覺若負任者死胎

凡五六月腰八髎穴邊作陣疼臍下又痛者必

小産

凡七八月患熱痢因努力而免者多死胎如滿月者不必然

凡患疫免死腹中者必陰戶下血

凡臨產其痛俄止力息不來者多死胎

凡患淋疾若瘡疾者多胎墜

凡臨產下水不止捺之兒頭不瞤動者死胎

凡臨產小便利者是子頭不在橫骨中故非橫

逆生則其子既死腹中也雖然死胎又有不必

產論翼乾之卷　　九

小便利者須臨時審候以決知之

凡初産其痛止在腹而不下腰及肛門者非横逆生則其子已死腹中也

凡臨産努力産母聲息細微毎仰者死胎

凡破漿後兒已出子宮一寸許而不免經時者其胎必死若尚冐膜水漿未迸者不必然

凡子未娩其胞衣先下者必死胎且多横逆生

凡兒腰已下甚大者死胎其大有至如巨柱者名曰壯尻胎

凡兒斜月子宮出於橫骨下者死胎
凡破漿後猶下水不止者多死胎
凡雙胎先出而胎小者不育後出而胎大者猶
凡有腫氣者自臨產前二三月水下不絕而不
覺胎撐腹腹又不痛者多死胎
凡坐產露臀尻者多死胎其活胎者千百中一
二而已

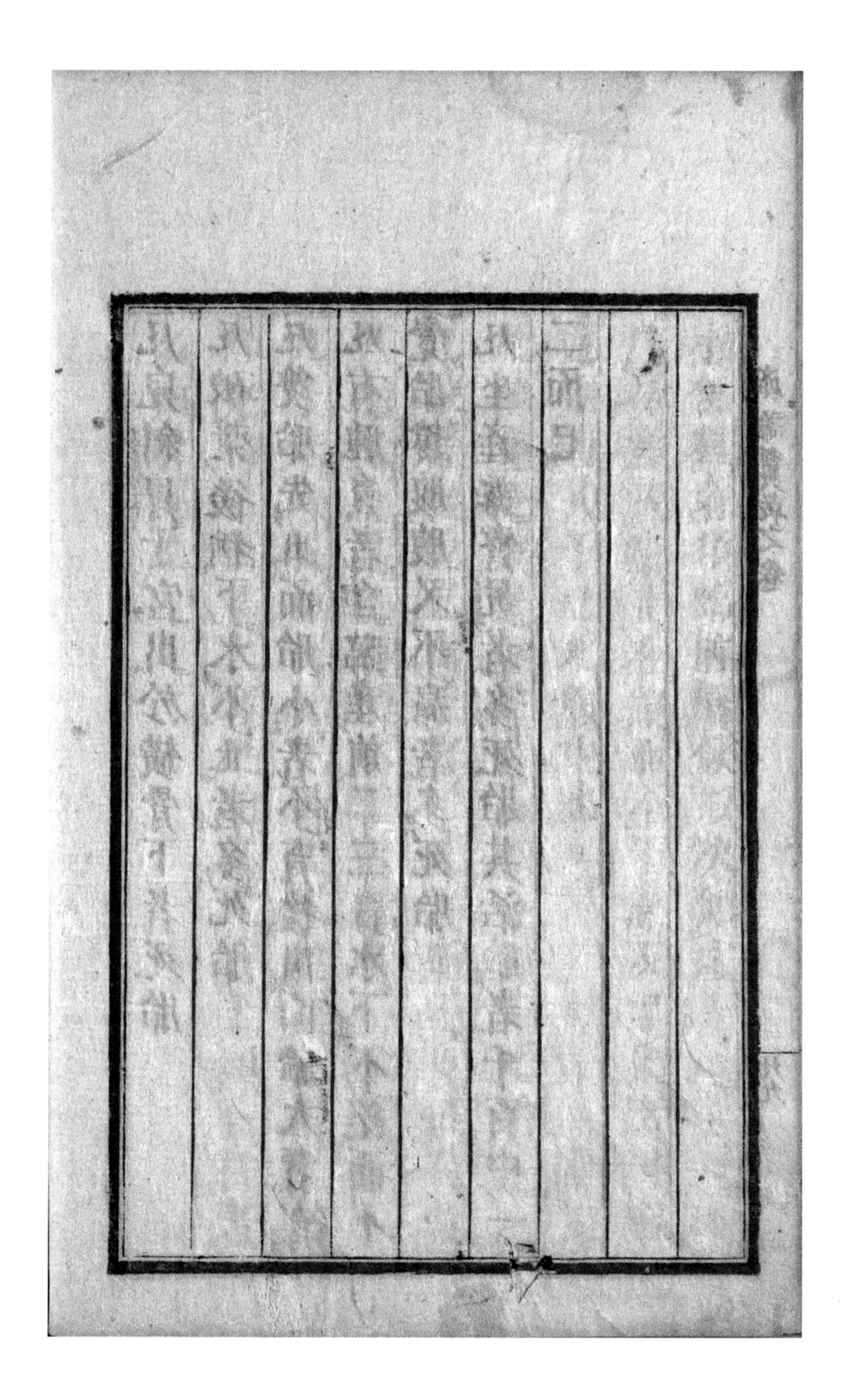

嬰兒保護

凡赤子已生斷臍帶後須用五倍子粉摻之以紙全裹之屈曲安臍上別用綃帶自其背纒束之兒體上附臍處切莫令牽急恐致兒臍因之突出終身不復兒若頻啼須視臍帶大抵六七日乃褪落有經一七朝不褪者又褪後俗多灸其臍者大不可也恐小兒不堪火攻之苦因發天吊撮口等病世亦初生多飲朱砂蜜若甘連湯吾門所用甘連加紅花大黄或鷓鴣菜湯若

發鵞口瘡紫圓一粒間日用之不知者用一二三
粒以知為度始乳以母乳出為候始乳之可也
是其禀生本資之自然禽獸皆然人何以異世
乃有不待母乳出便雇乳婦者殊不知乳早則
胎毒致難下也雖然如其未滿月而娩若禀賦
薄弱者早乳調養亦可也其浴初生手須輕捷
切不可久浴世多有因發臍風等病宜深戒之
又用其所褪落臍帶燒之存性與兒飲之以下
胎毒其兒發痘疹甚少驗之屢効又已娩未發

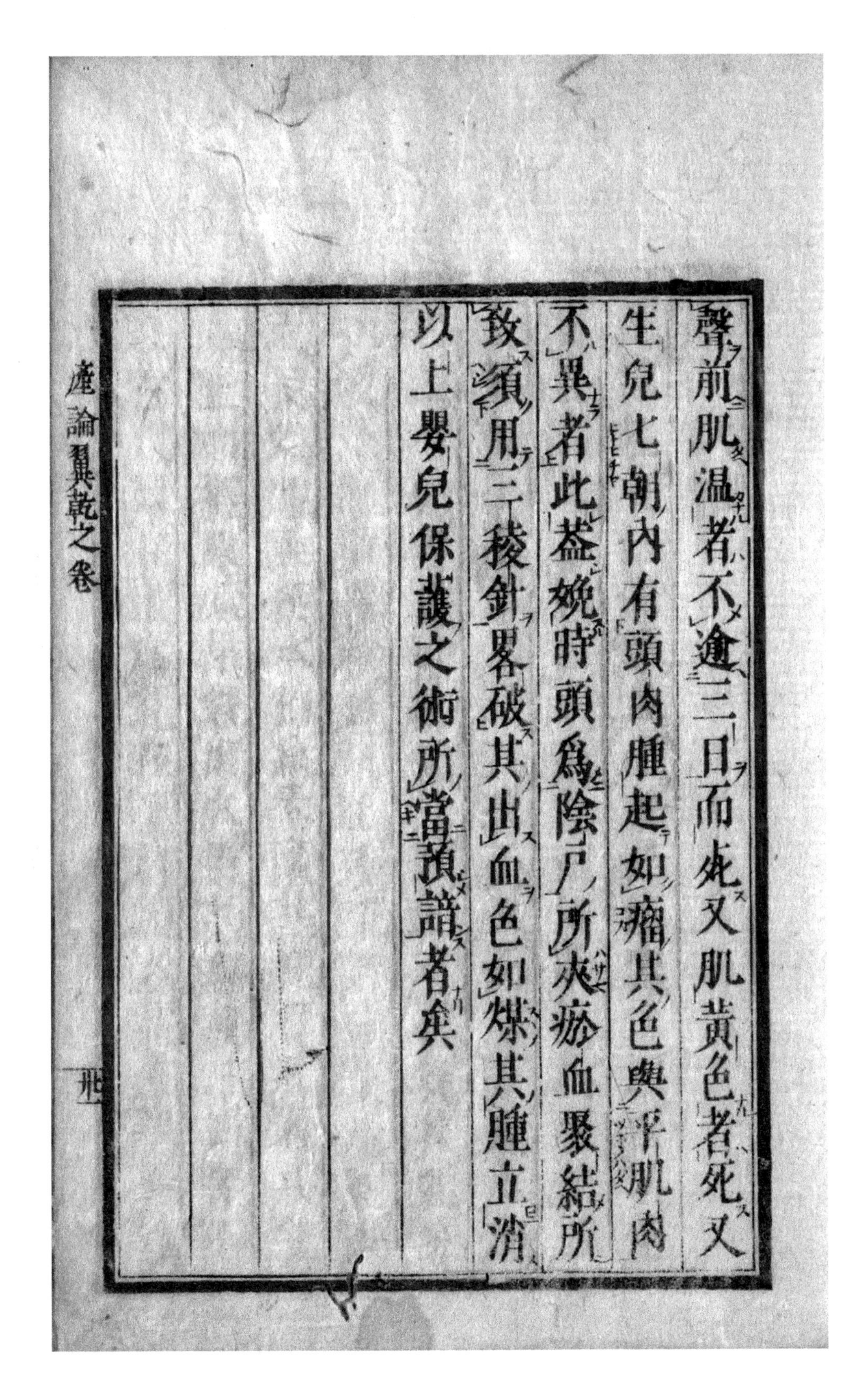

聲前肌温者不過三日而死又肌黄色者死又生兒七朝内有頭肉腫起如瘤其色與平肌肉不異者此在娩時頭爲陰戸所夾瘀血聚結所致須用三稜針畧破其出血色如煤其腫立消

以上嬰兒保護之術所當預講者矣

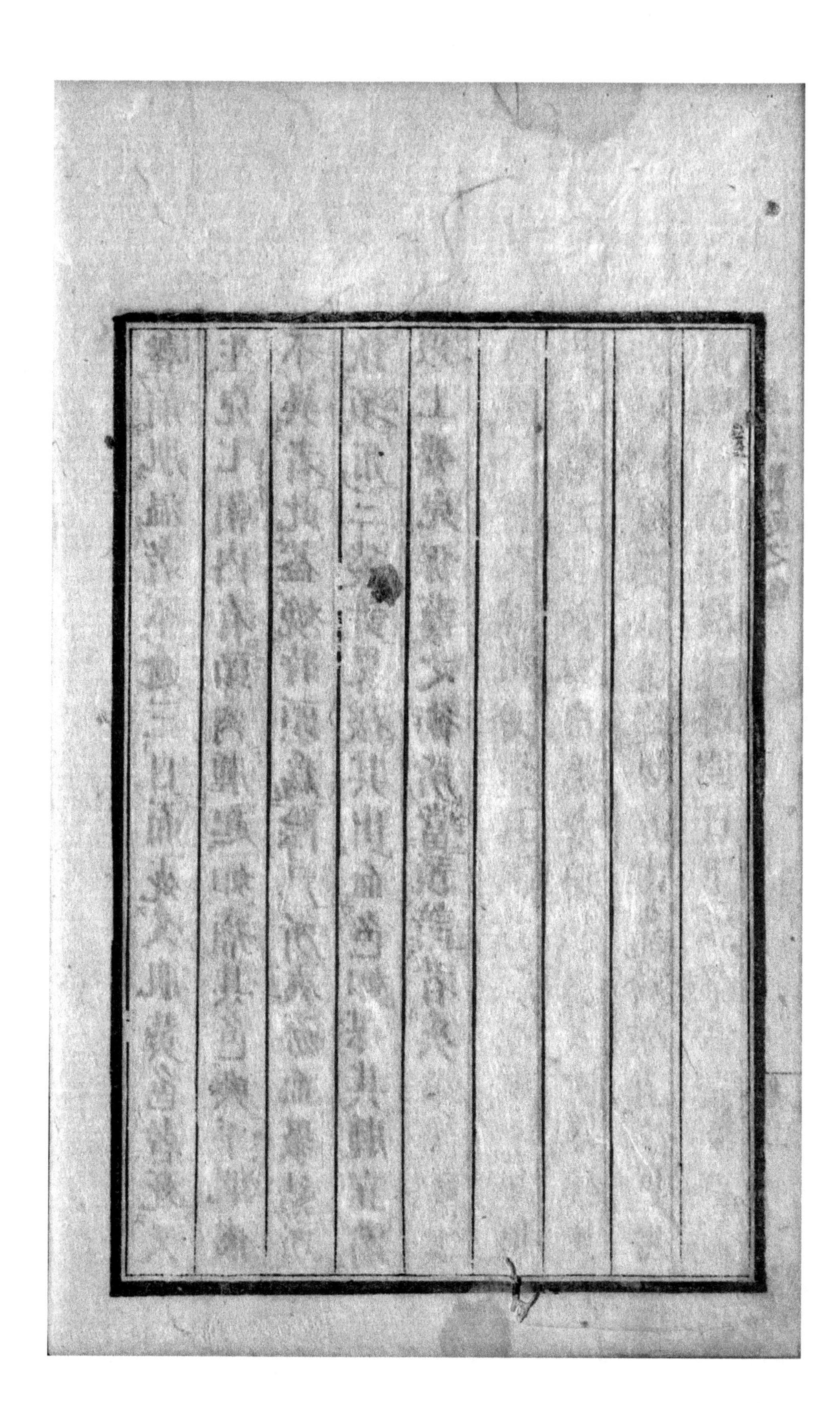

試乳

凡試乳之法先須注之於黑漆器上以視其色淡者為上濃者為下淡蓋血液所化居多濃乃穀味所化居多濃者其來不久而易止且以飲初生小兒性重滯必傷其胃不可不察其乳房捫之堅實若覆椀者為上垂下者為下凡乳來之長短常與經水相為表裏其兒已死者其乳易止而經來必早乳出久者其經或三四年不來古人云在上為乳在下為經者其言似不誣

凡産後初出乳汁者勿與飲此蓋數日房中畜積之汁飲之必有害須要數回絞去之後始飲之爲可凡乳婦其氣血不和順則其乳不出若其忿怒若勞心傷氣者必忽止又富貴之家買乳婦入門一二月往往忽止者人多謂之詐騙殊有不然者蓋其乳婦多卑賤平日家居時放縱恣性驟入貴第法度森嚴身不得自由氣因致鬱滯是以其乳頓歇不出耳此等事醫亦不可不略通其故者故此弁論之

浴法

浴産前後皆吾門所大禁無輕視姙娠中屢浴者必多患水腫或病淋疾故姙婦九月已後宜禁浴嘗見因浴致胎動上逼心下卒就危殞者往往有之是故雖乃暑天亦切不可每日浴但午前後輕輕浴之爲妙如産後無他症者經一三日後欲浴者須以巾漬熱湯絞拭去其汚痕如稍重者若艱産後者此拭亦禁如平穩之婦過一七朝後看其脉症平和始許輕浴爲可而

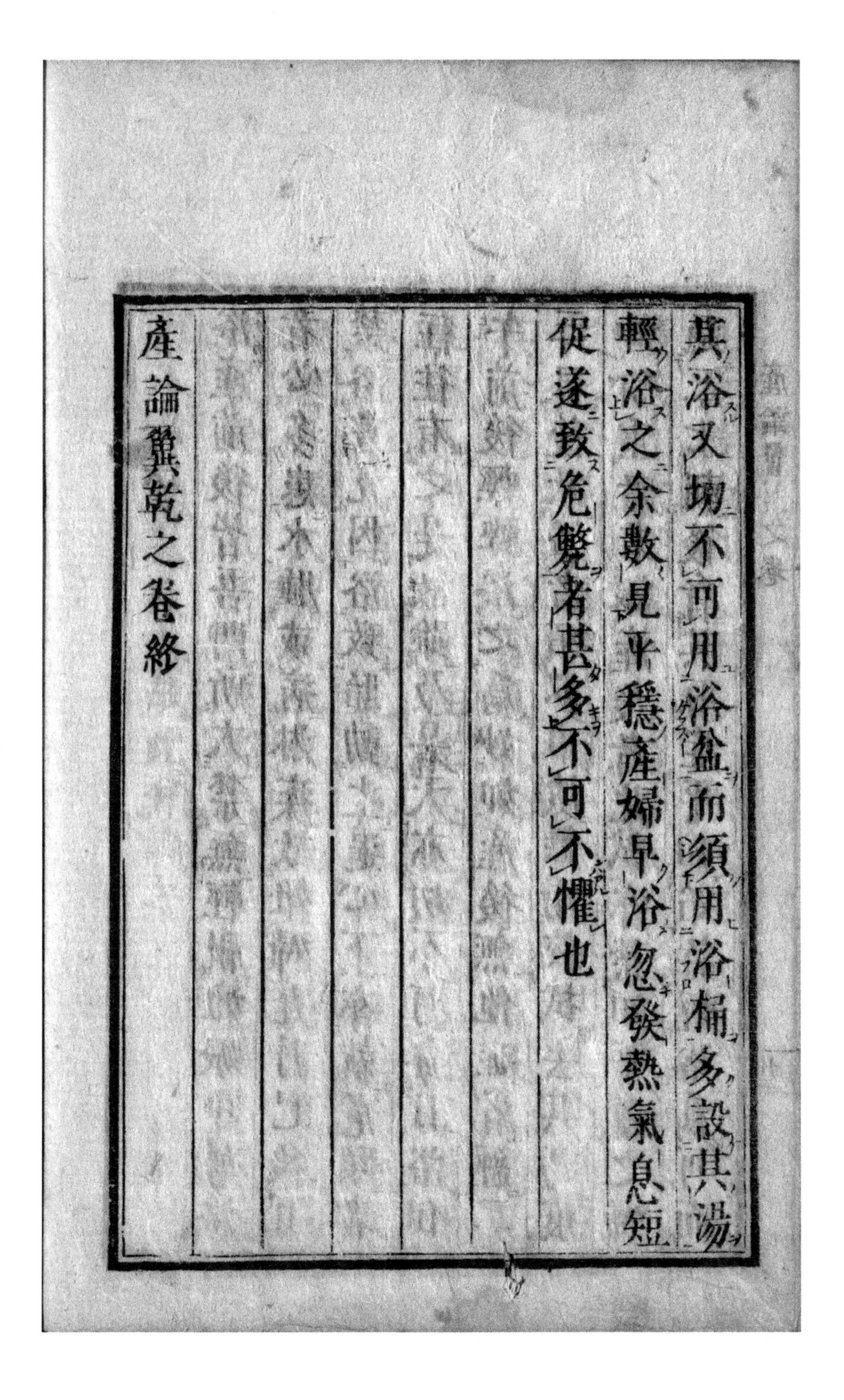

其浴又堈不可用浴盆而須用浴桶多設其湯輕浴之余數見平穩產婦早浴忽發熱氣息短促遂致危斃者甚多不可不懼也

產論翼乾之卷終

特 1
816

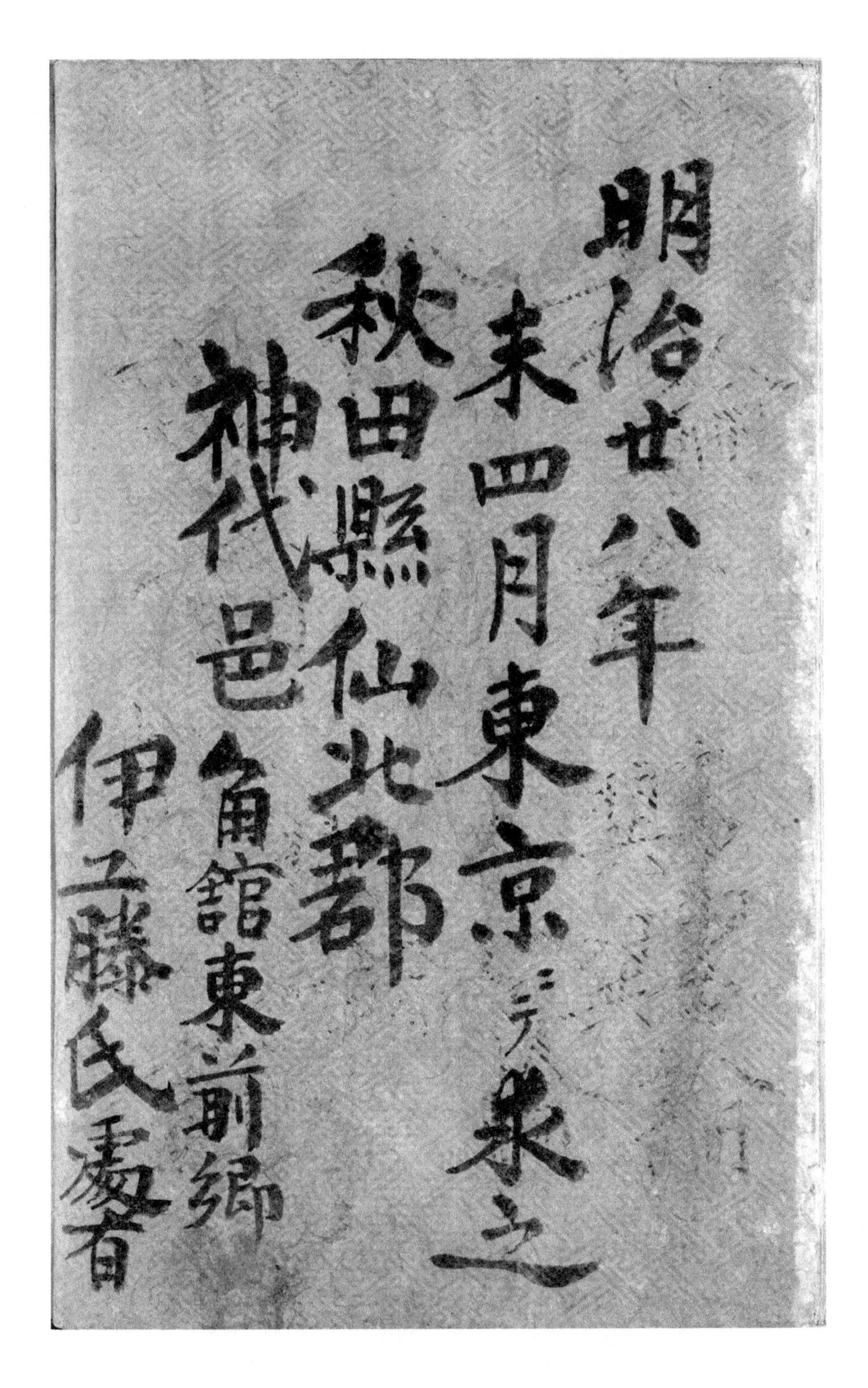

明治廿八年
未四月東京ニテ求之
秋田縣仙北郡
神代邑角館東前鄉
伊藤氏處者

特 I
918.6

産論翼
坤
特L
816

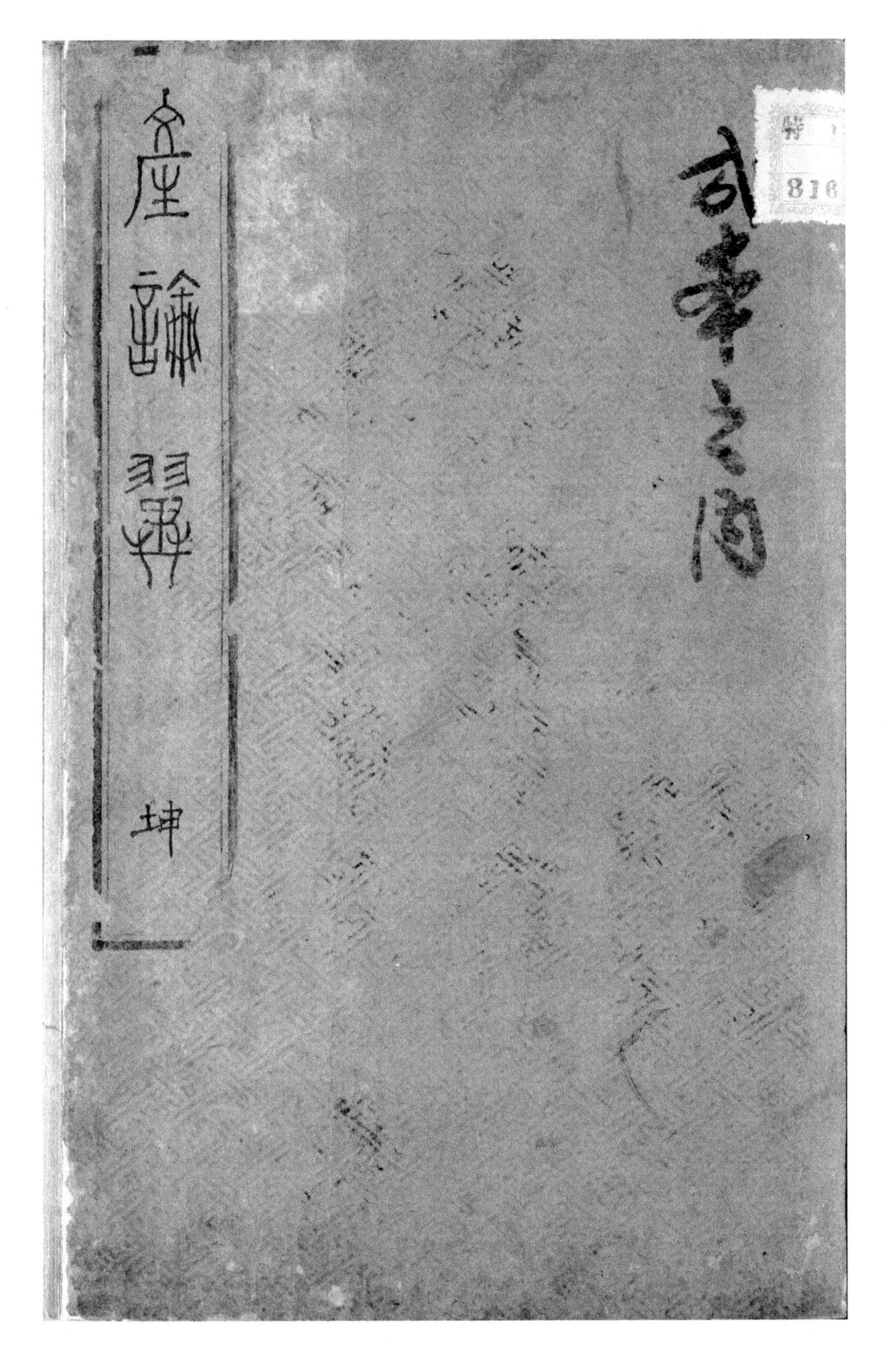
産論翼
坤
816

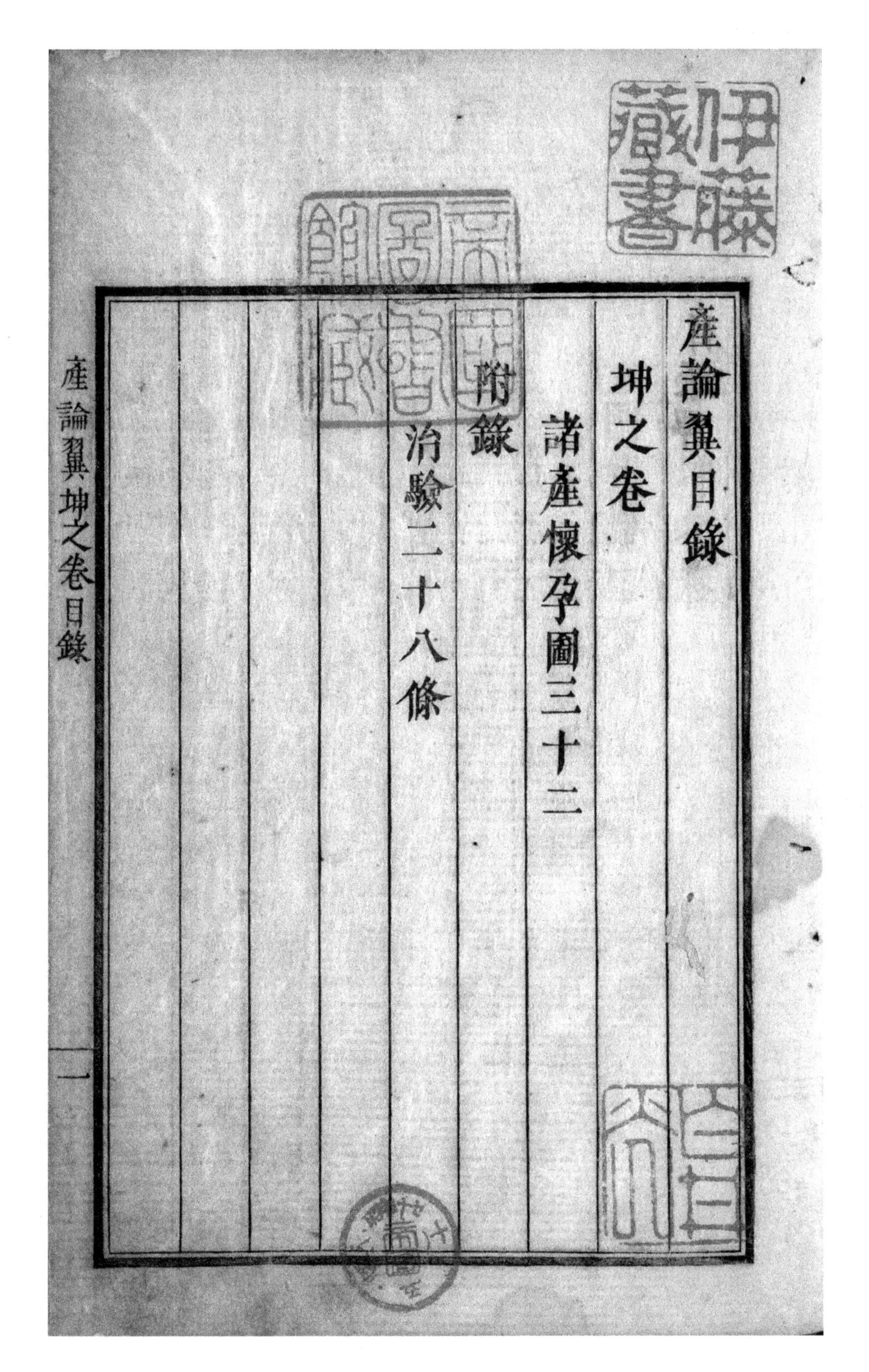

産論翼目錄

坤之卷

目錄畢

産論翼坤之卷

阿州醫官賀川玄迪子啓鑒定

門人　濱松醫官永井　篤士祐
　　　津輕醫官樋口　淳美子成　同考次

懷孕圖

明和壬辰之春子啓先生再蒙藩召來在江戶邸藩城士庶家迎敦如織門下諸子無間受諄而請益不已先生誨僕等作諸產形狀圖畀之諸子以補其提耳所闕其圖凡三十二其中蓋亦

有産論終未及言其治術者雖然識者若據斯圖而以復求論之微肯則思過半矣

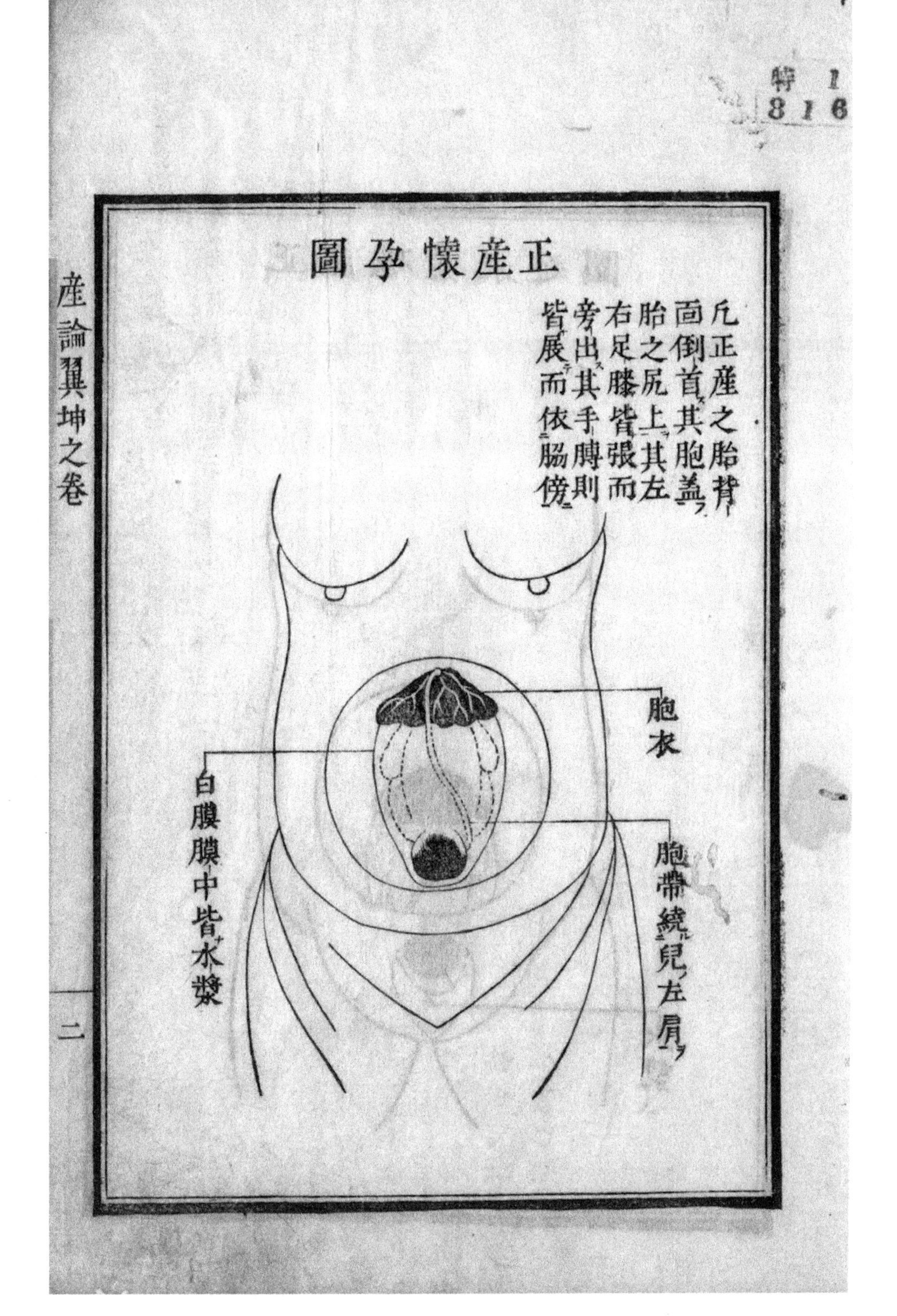
特 1
816
產論翼坤之卷
二
正產懷孕圖
凡正產之胎背面倒首其胞蓋胎之尻上其左右足膝背張而旁出其手膊則皆展而依脇傍
胞衣
白膜膜中皆水漿
胞帶繞兒左肩

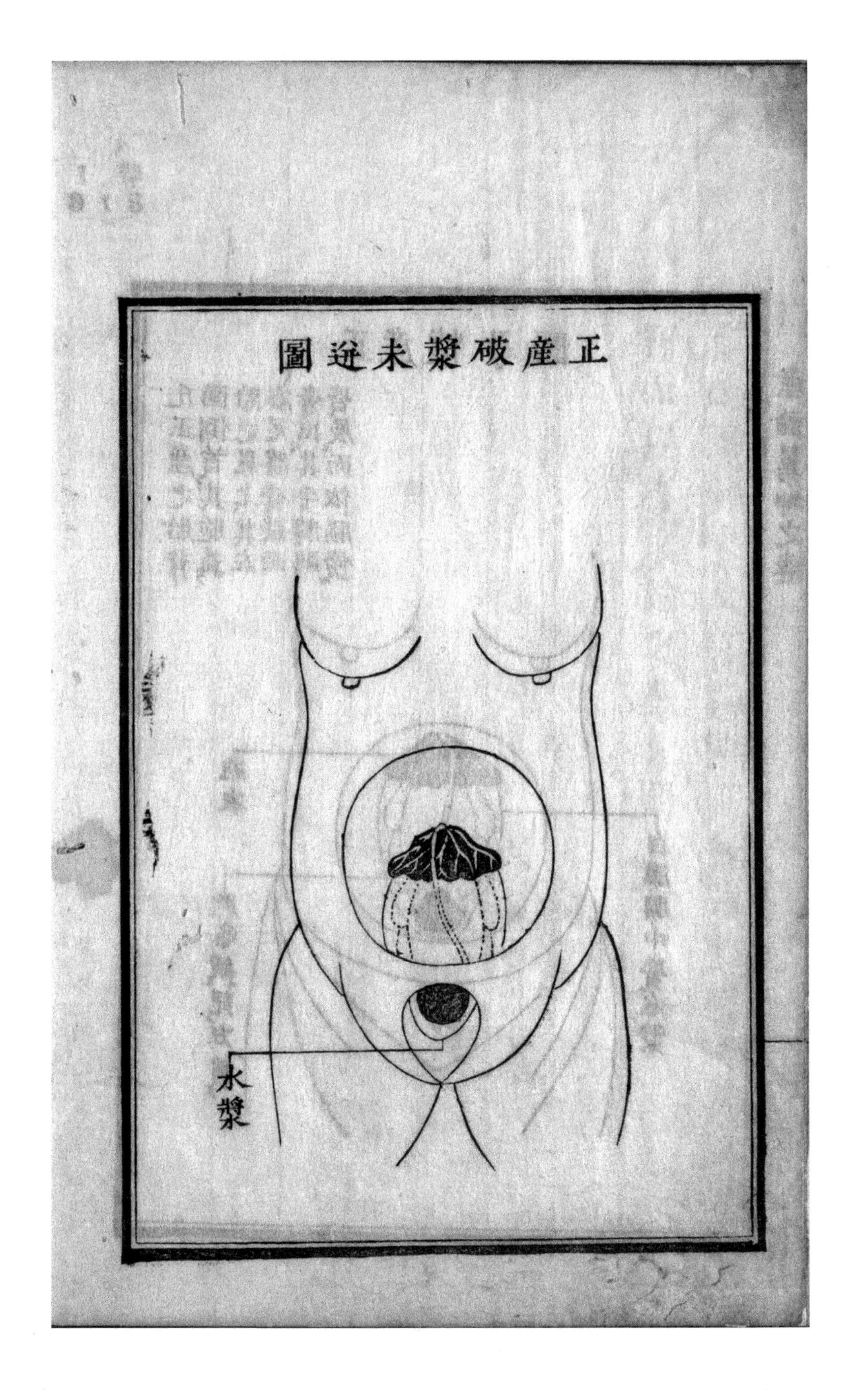
正產破漿未迸圖
水漿

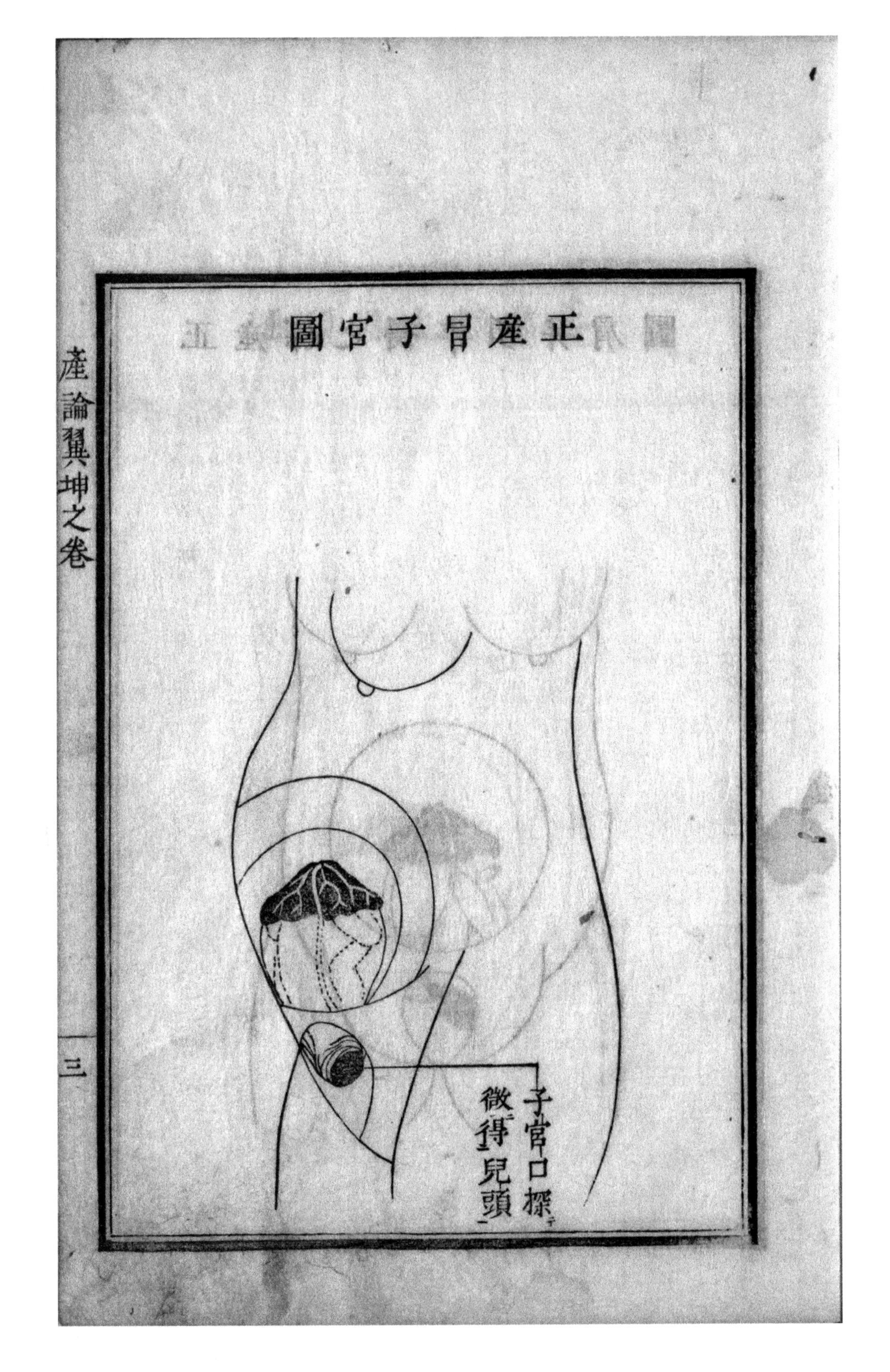
正產冒子宮圖
子宮口探微得兒頭
產論翼坤之卷
三

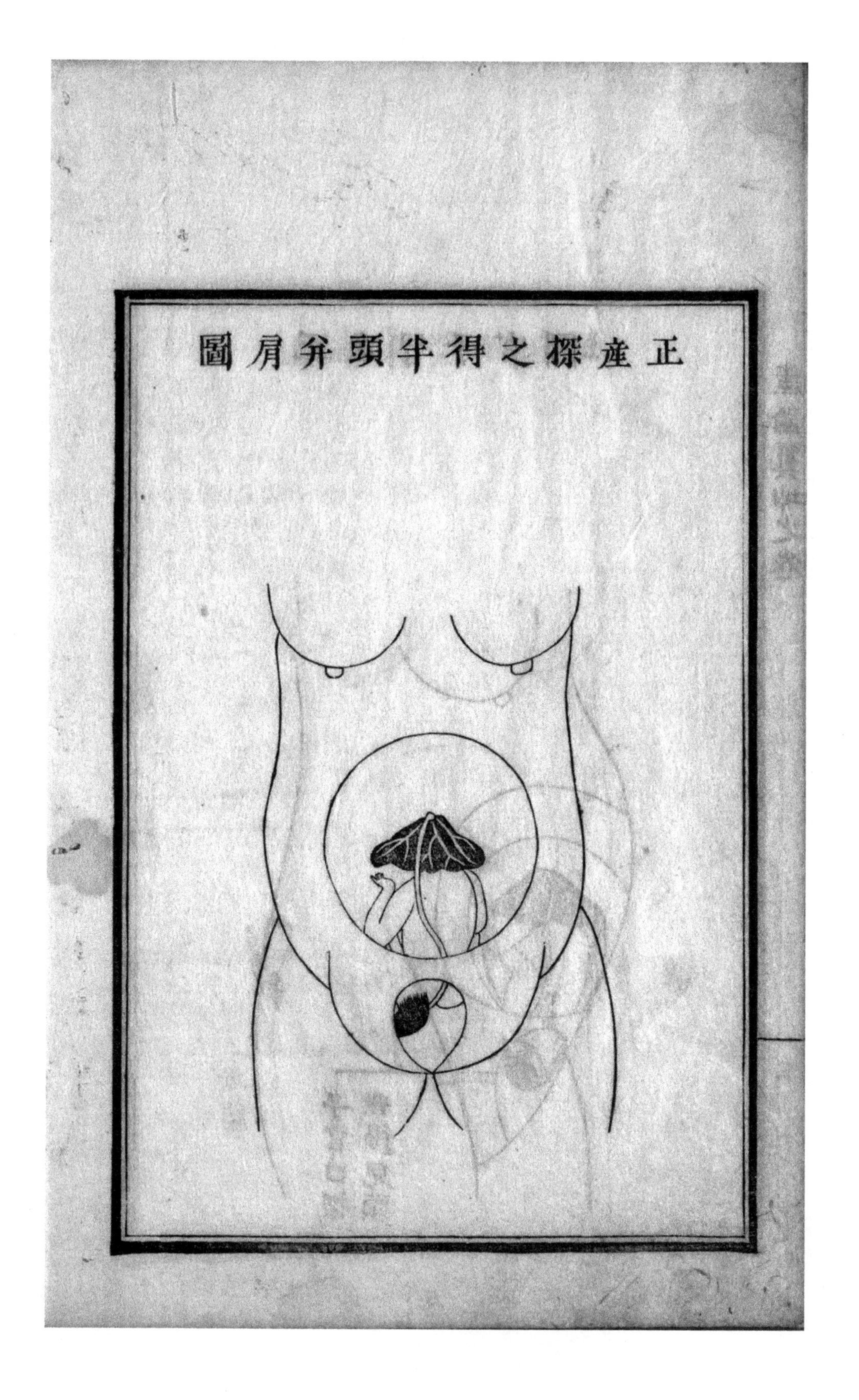
正產探之得半頭弁肩圖

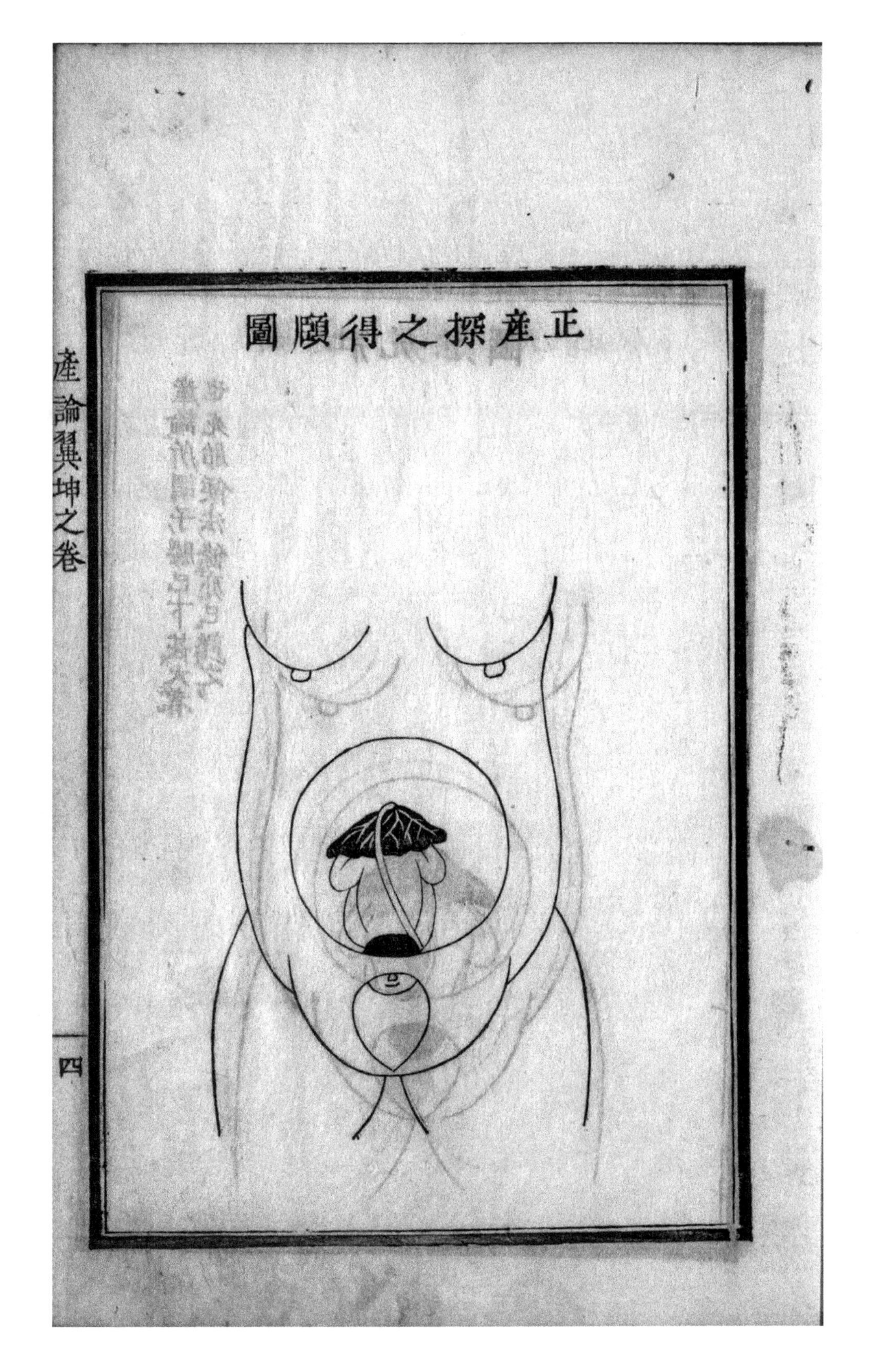
正產探之得顚圖
産論翼坤之卷
四

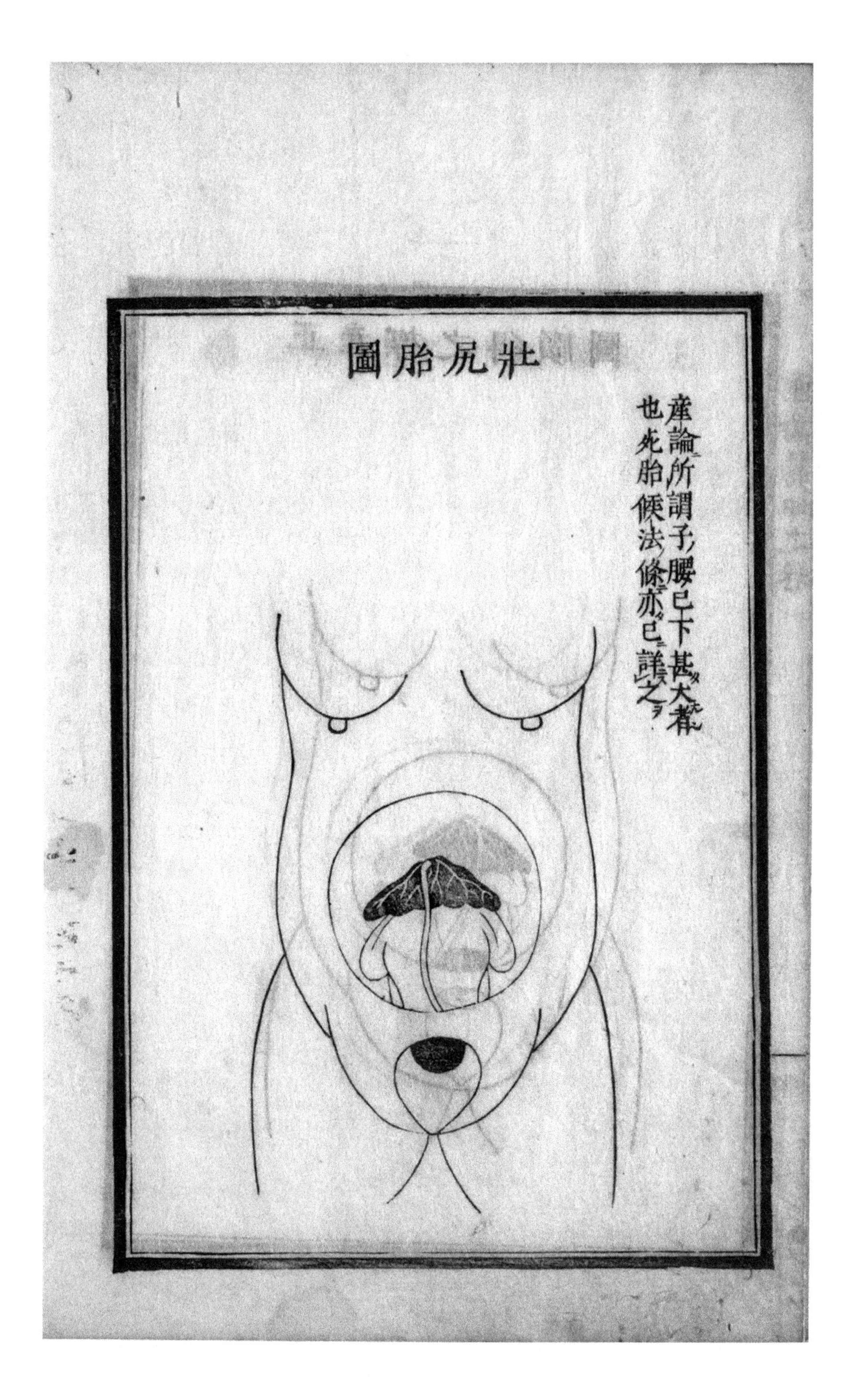
壯尻胎圖
産論所謂子腰已下甚大者也
死胎候法條亦已詳之

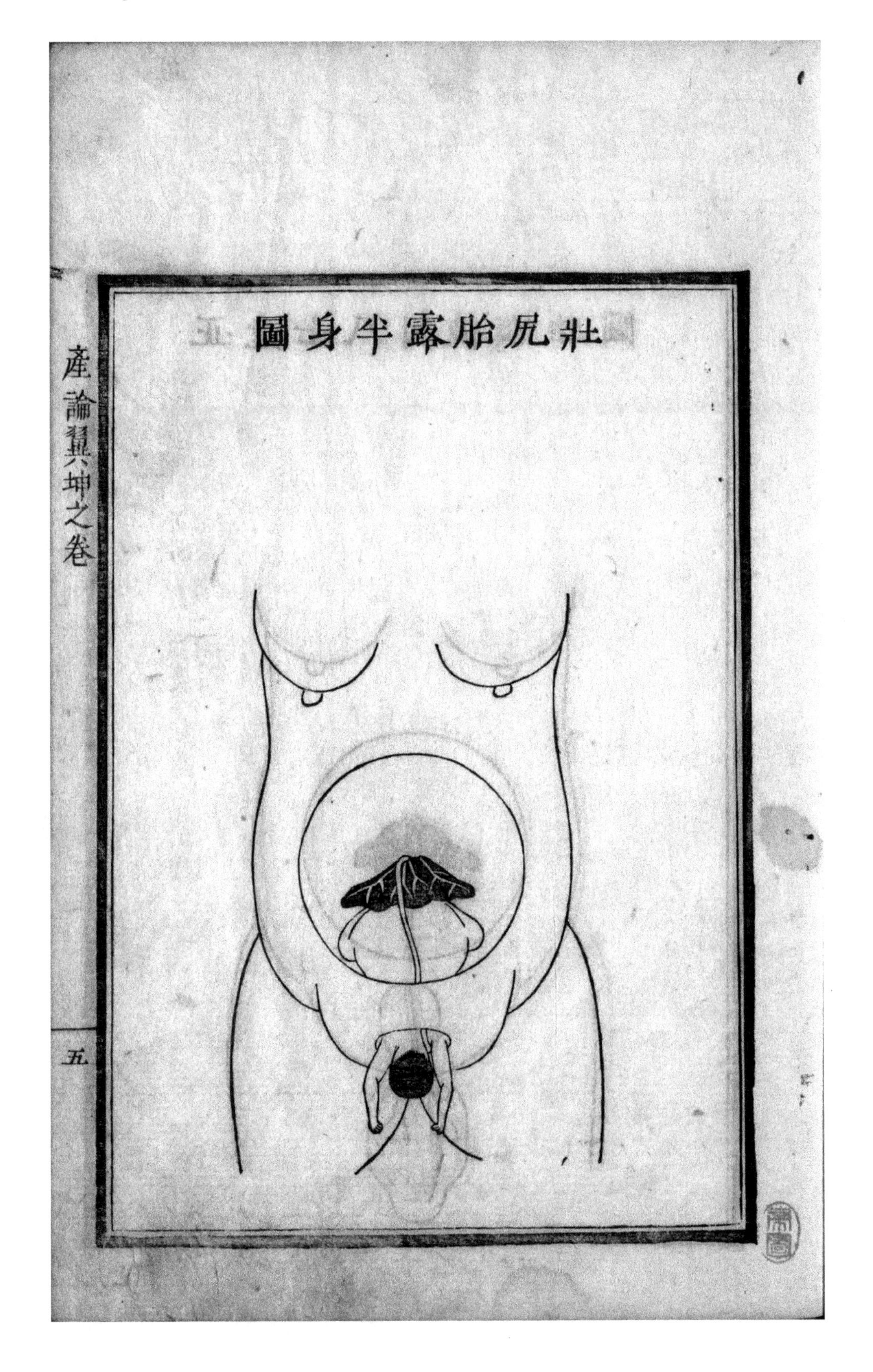
壯尻胎露半身圖
産論翼坤之卷
五

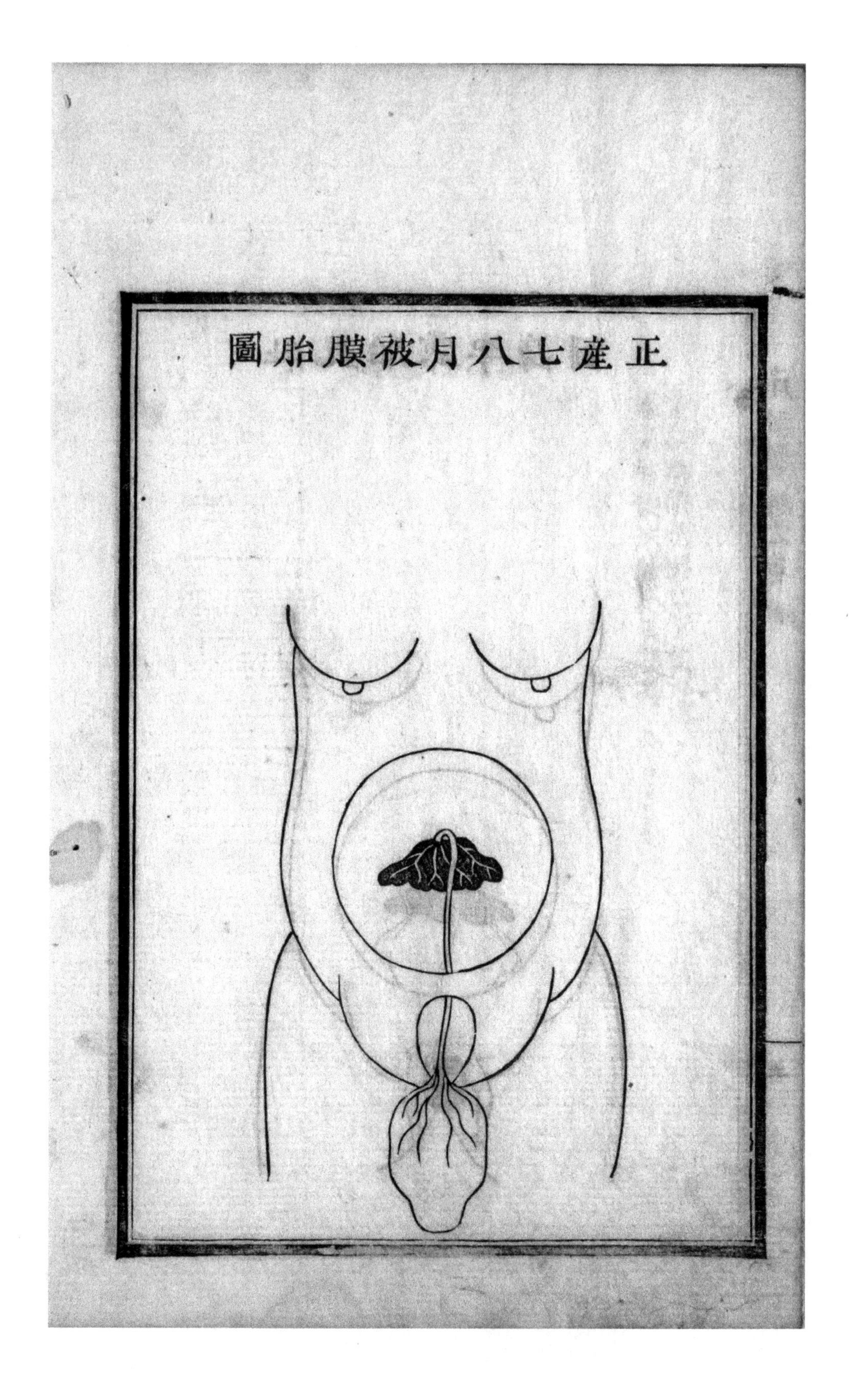
正產七八月被膜胎圖

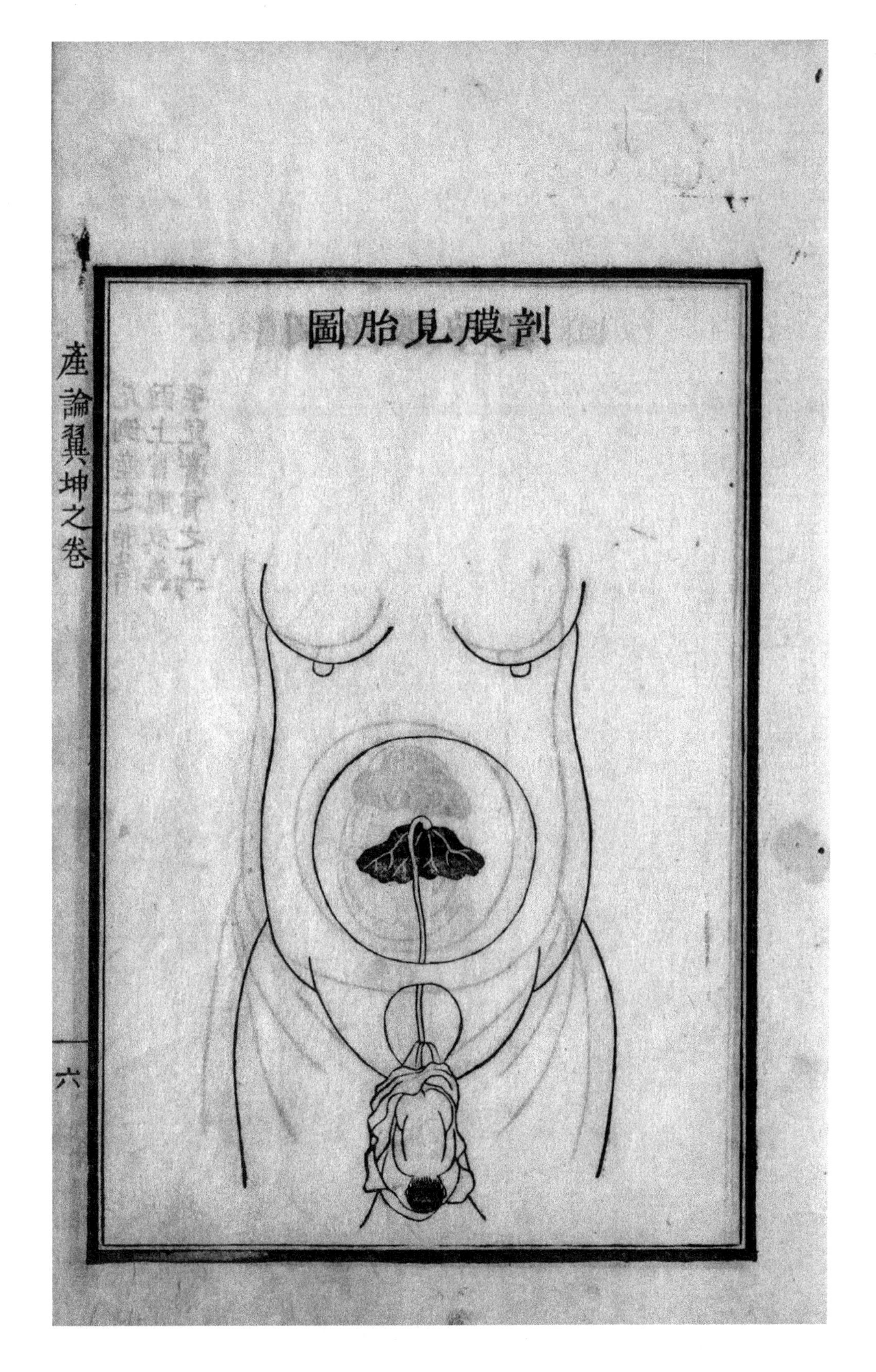
剖膜見胎圖
産論翼乾坤之卷
六

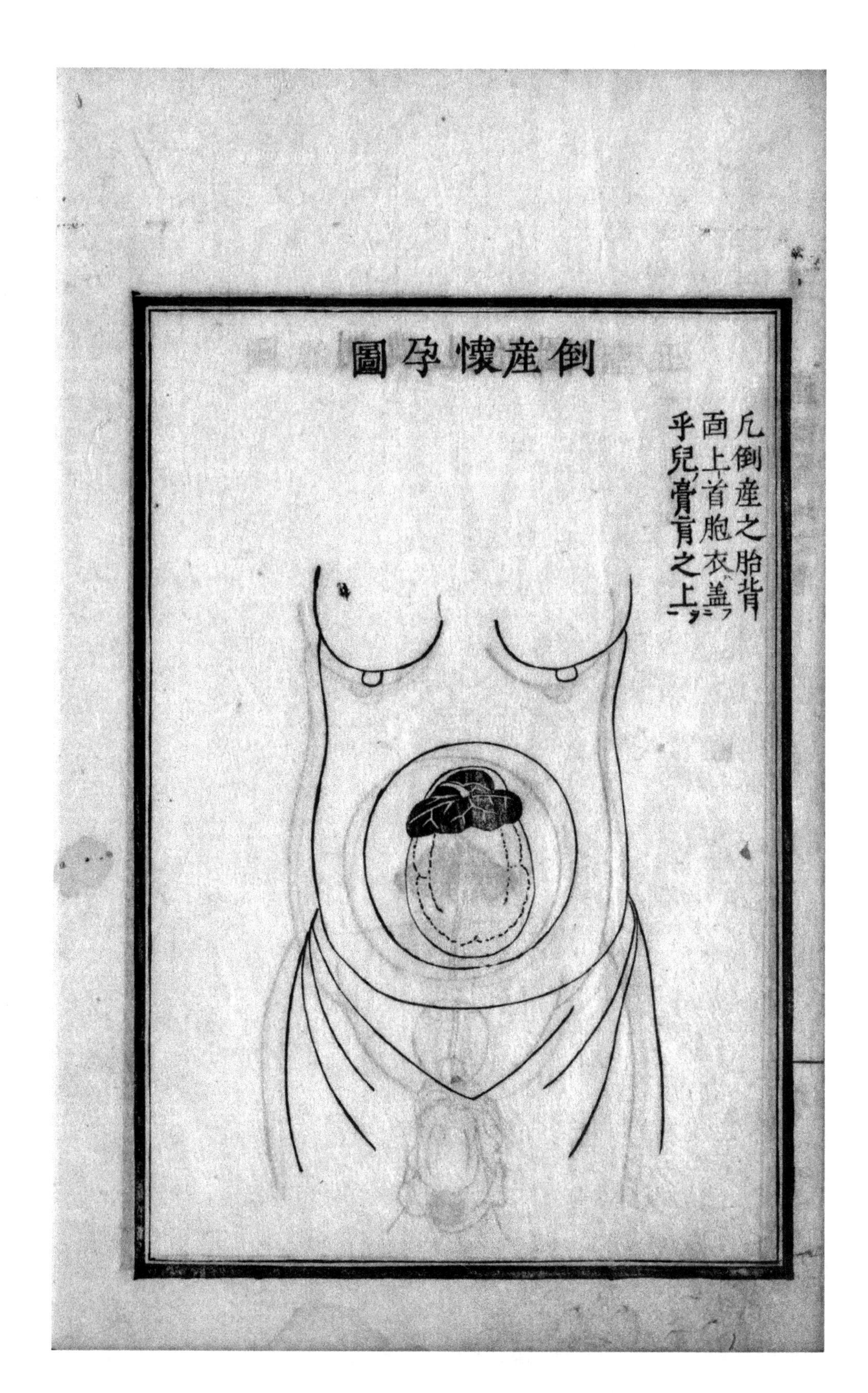
倒産懷孕圖
凡倒産之胎背面上首胞衣蓋乎兒膏肓之上

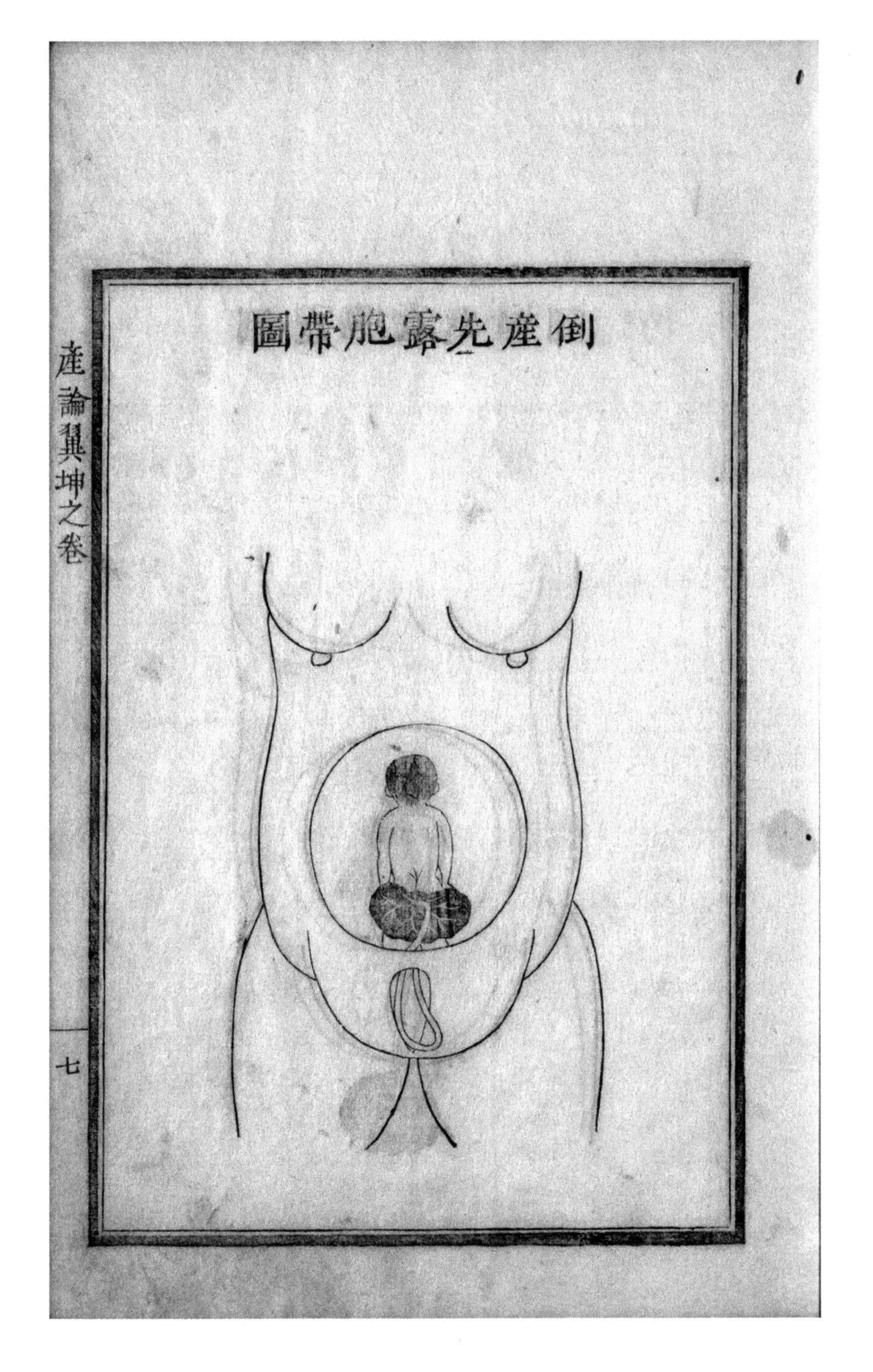
倒產先露胞帶圖
產論翼坤之卷
七

倒産胞衣先下圖

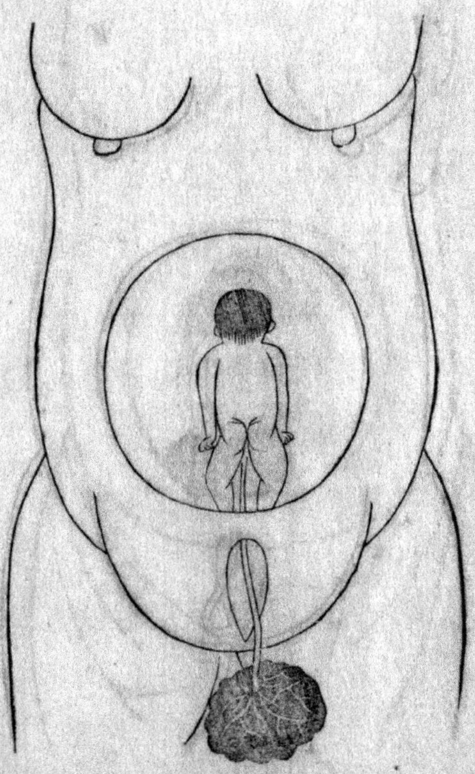

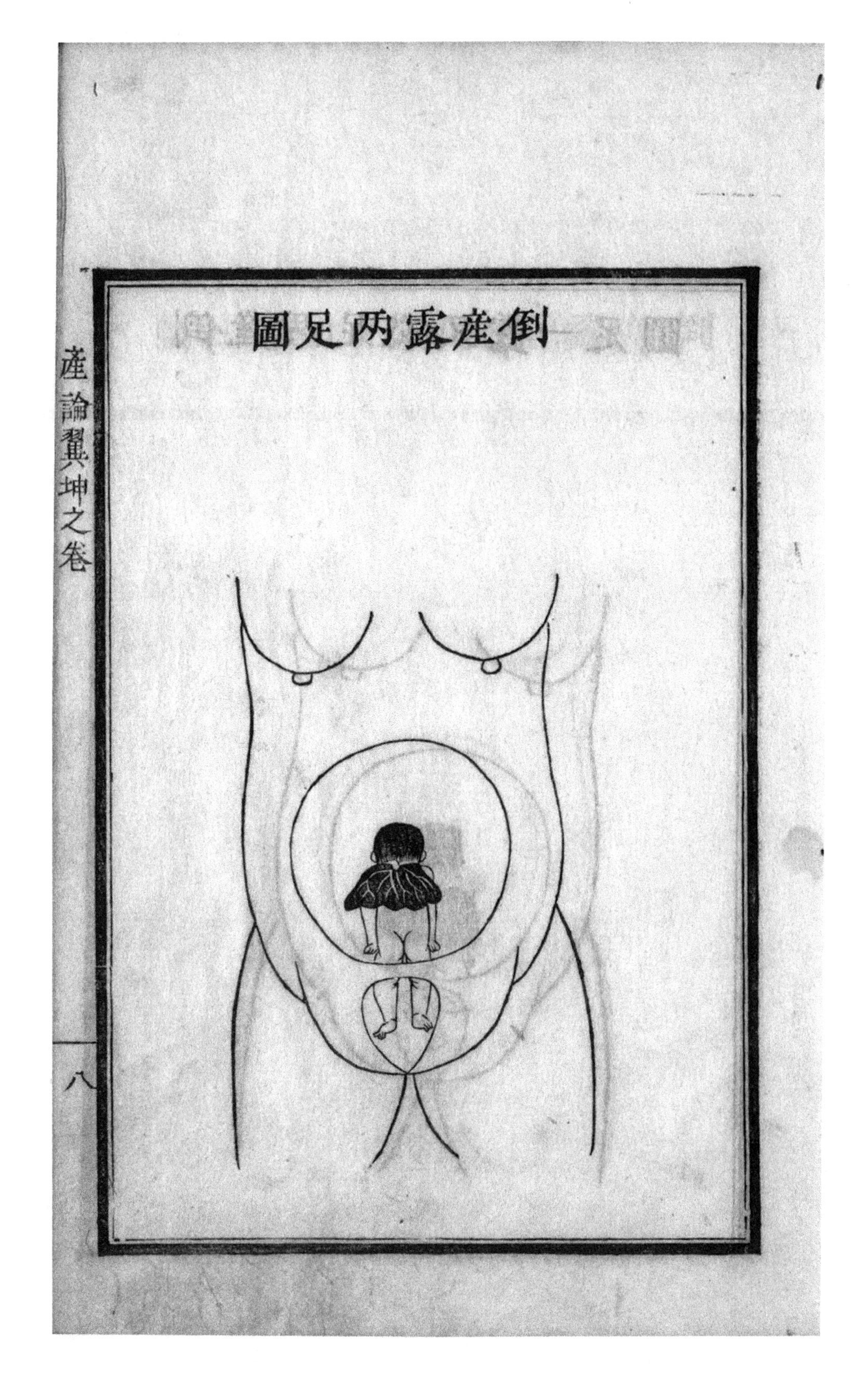
倒產露两足圖
產論翼坤之卷
八

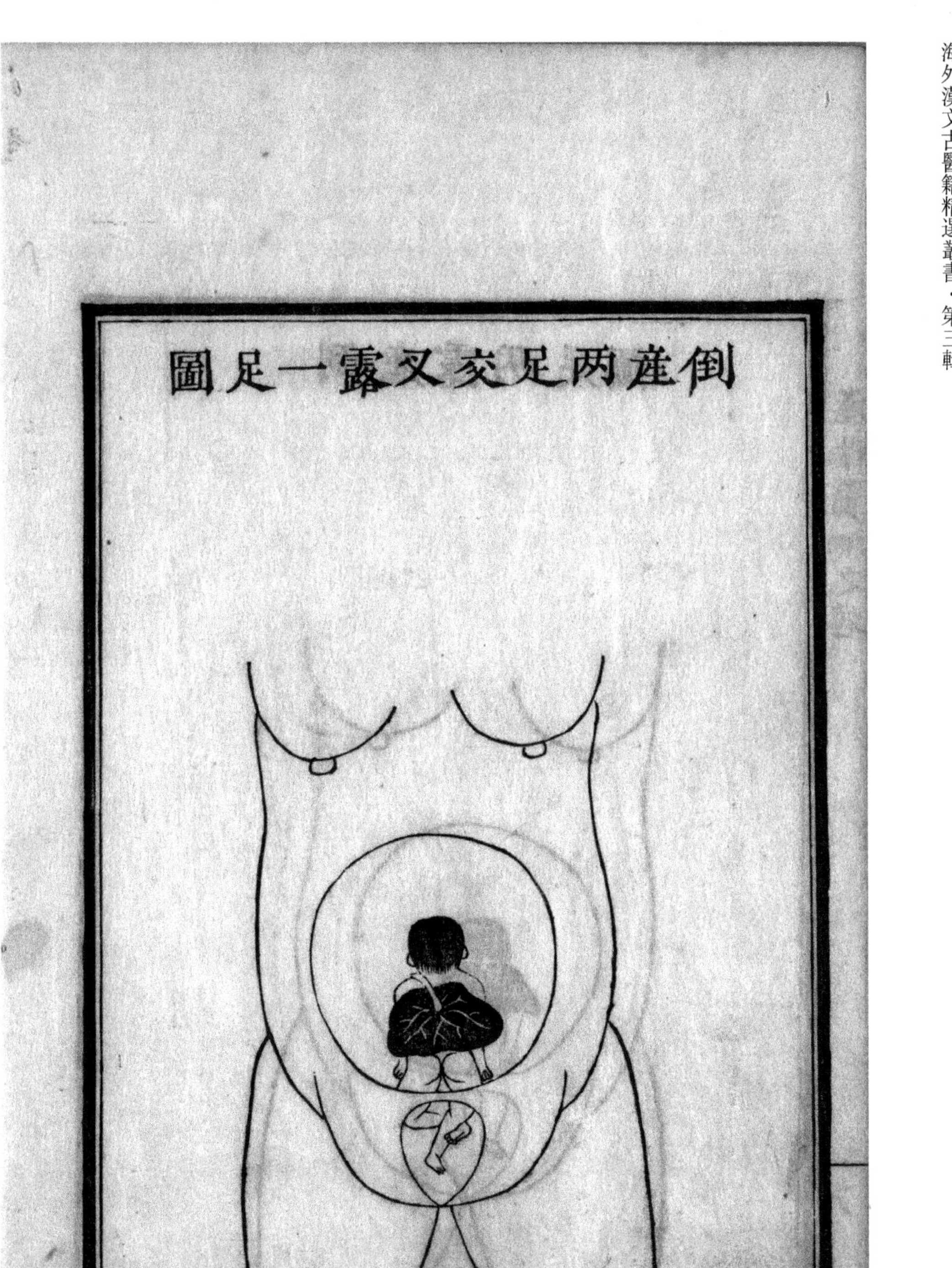
倒産两足交叉露一足圖

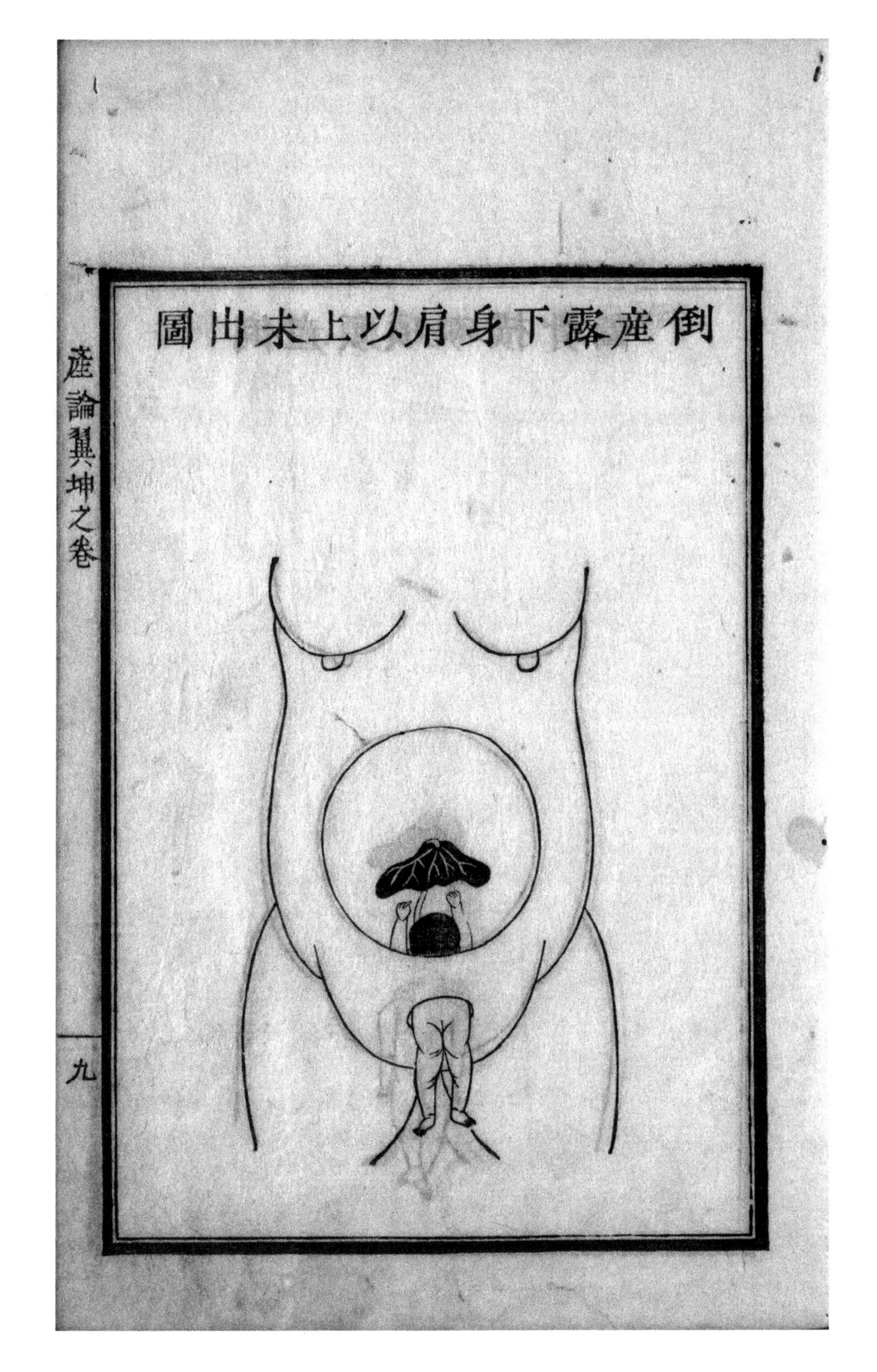
倒産露下身肩以上未出圖
産論翼巽坤之卷
九

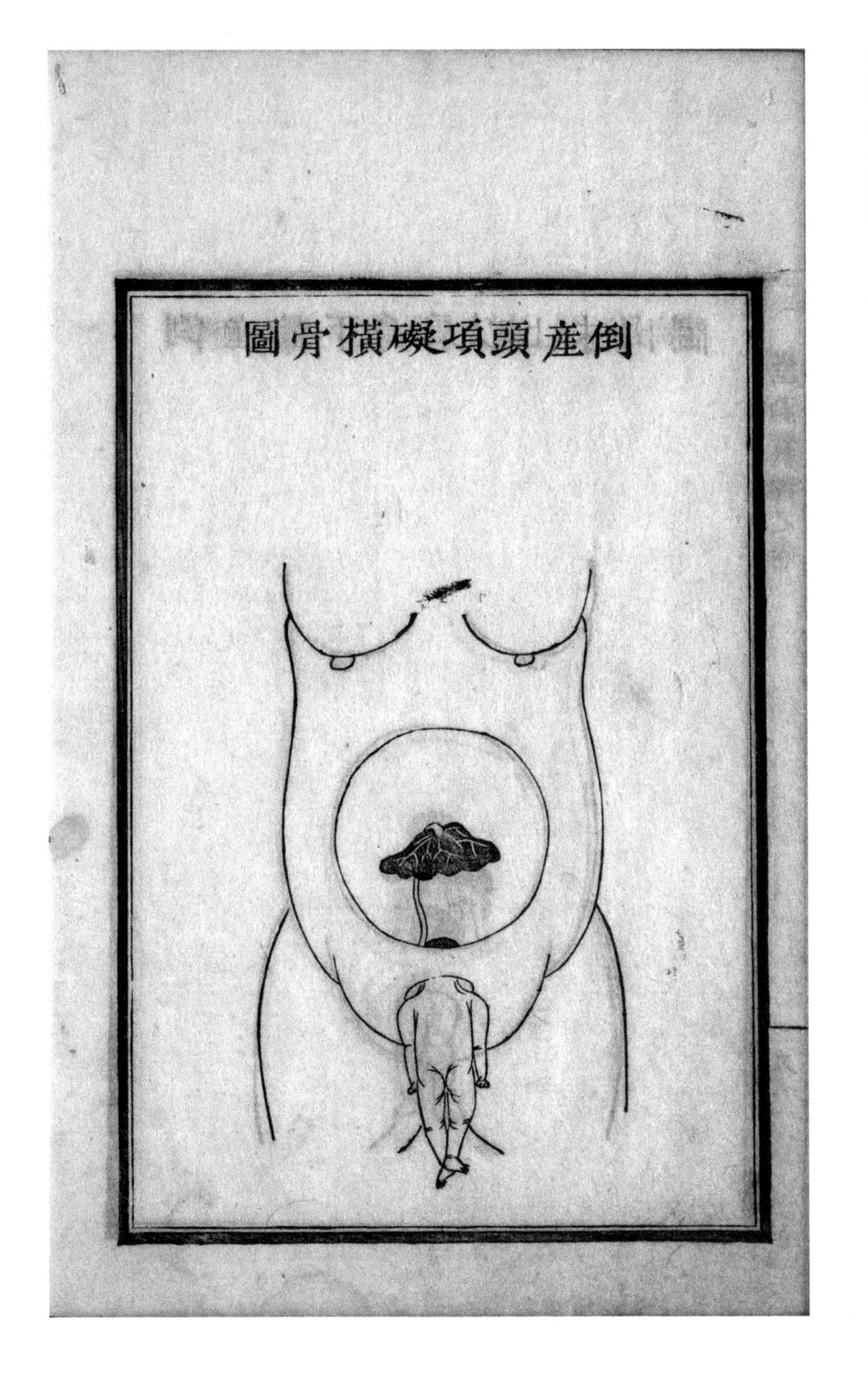
倒産頭項礙横骨圖

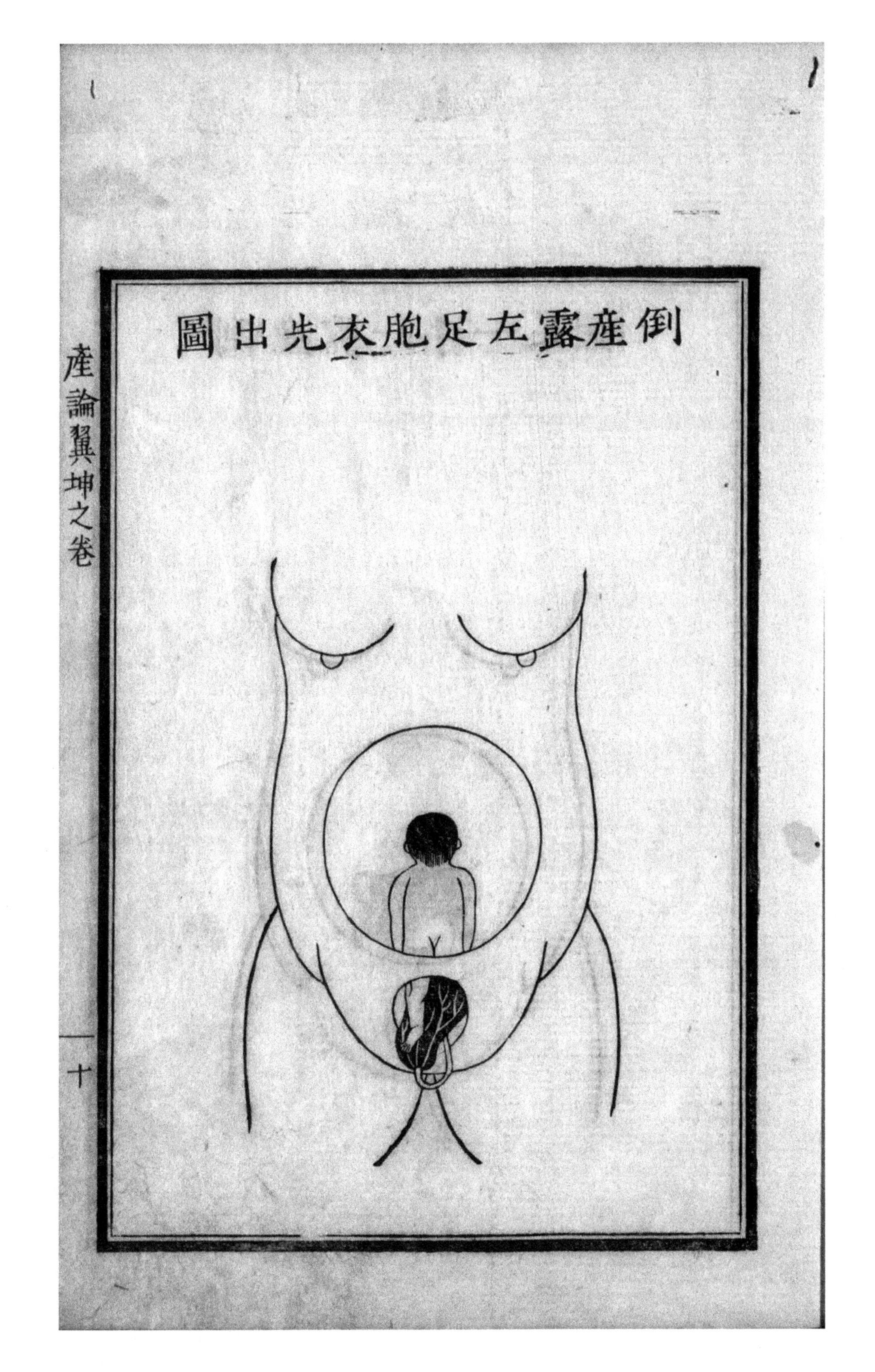

倒產露左足胞衣先出圖

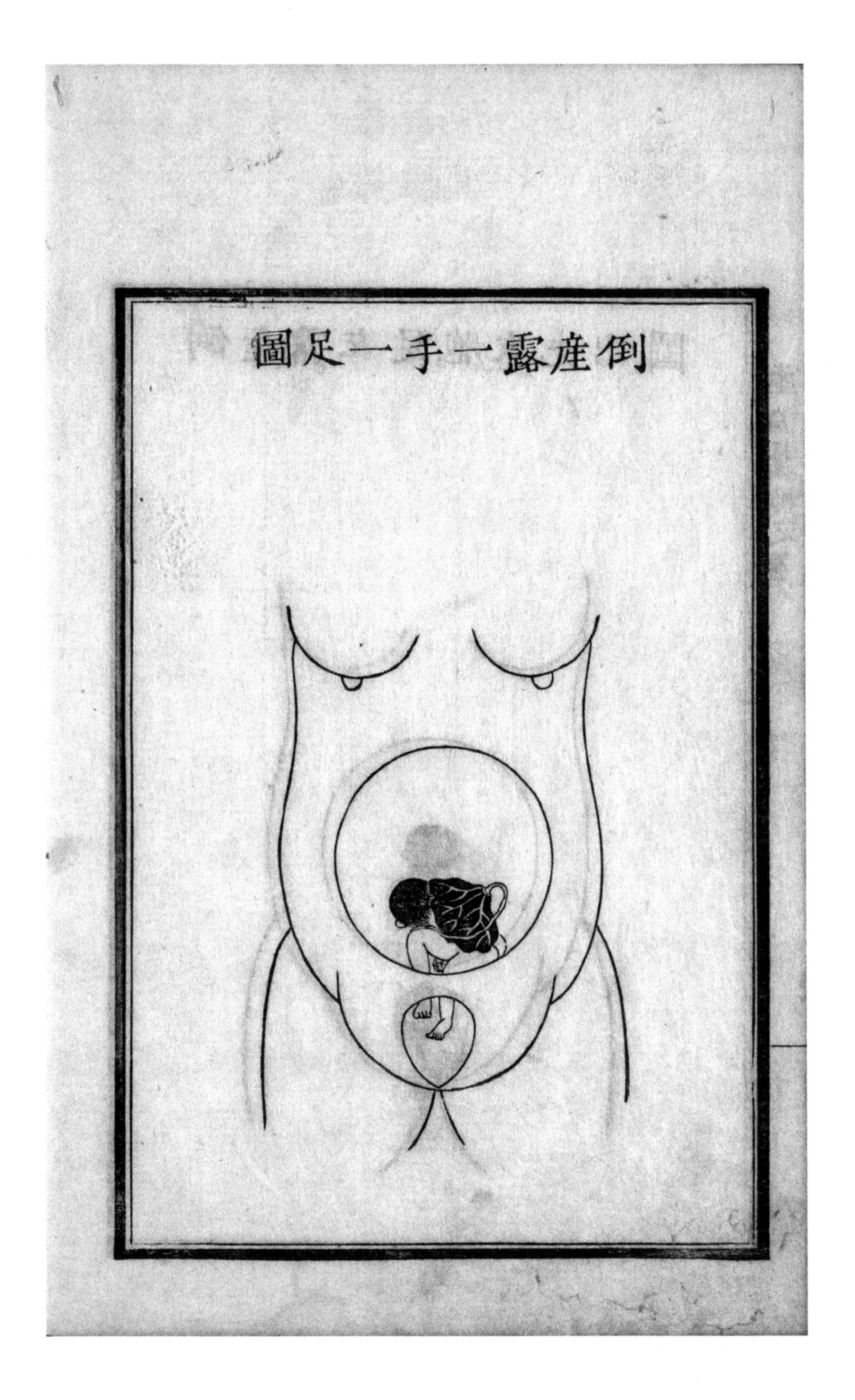
倒産露一手一足圖

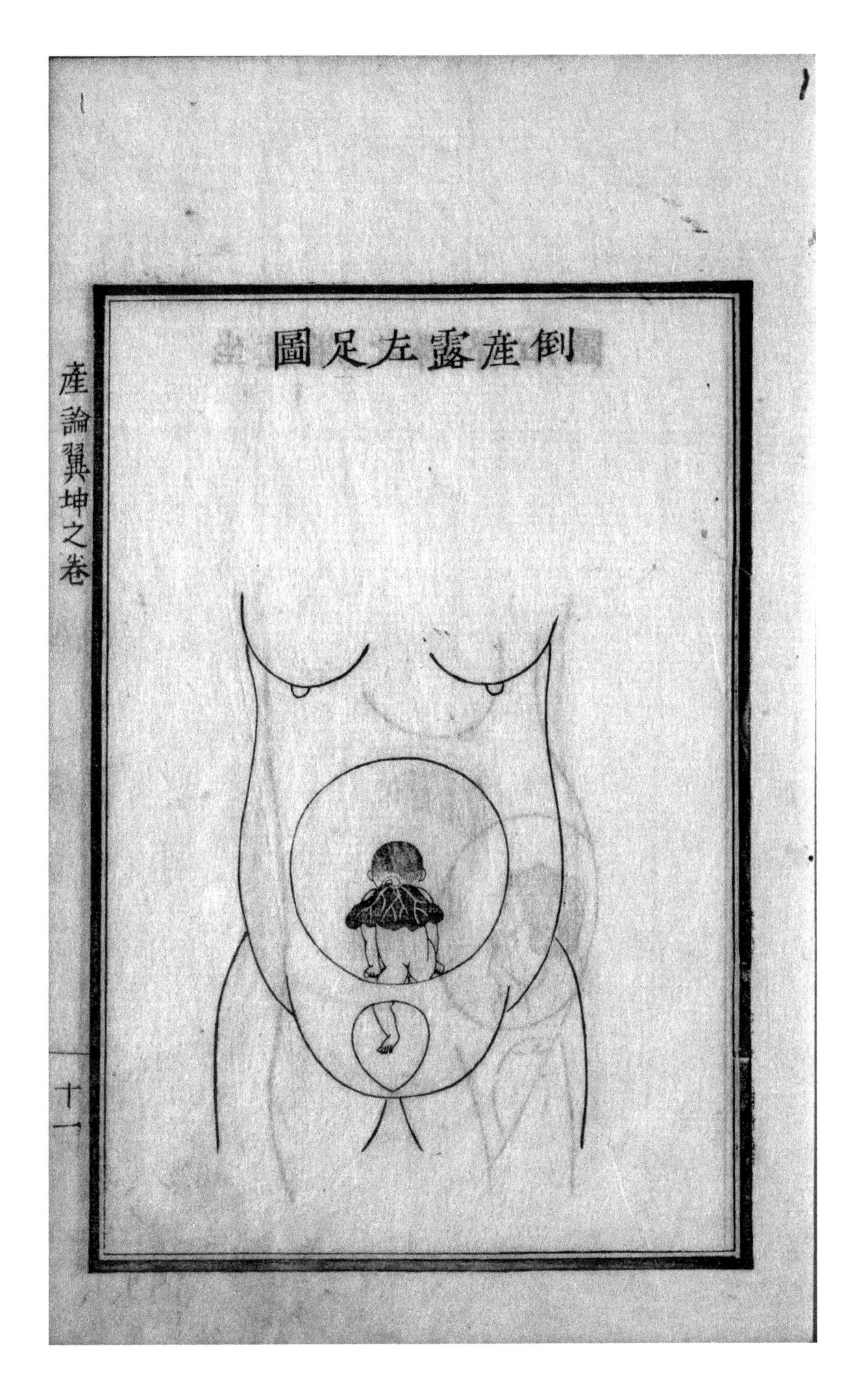
倒産露左足圖
産論翼坤之卷
十一

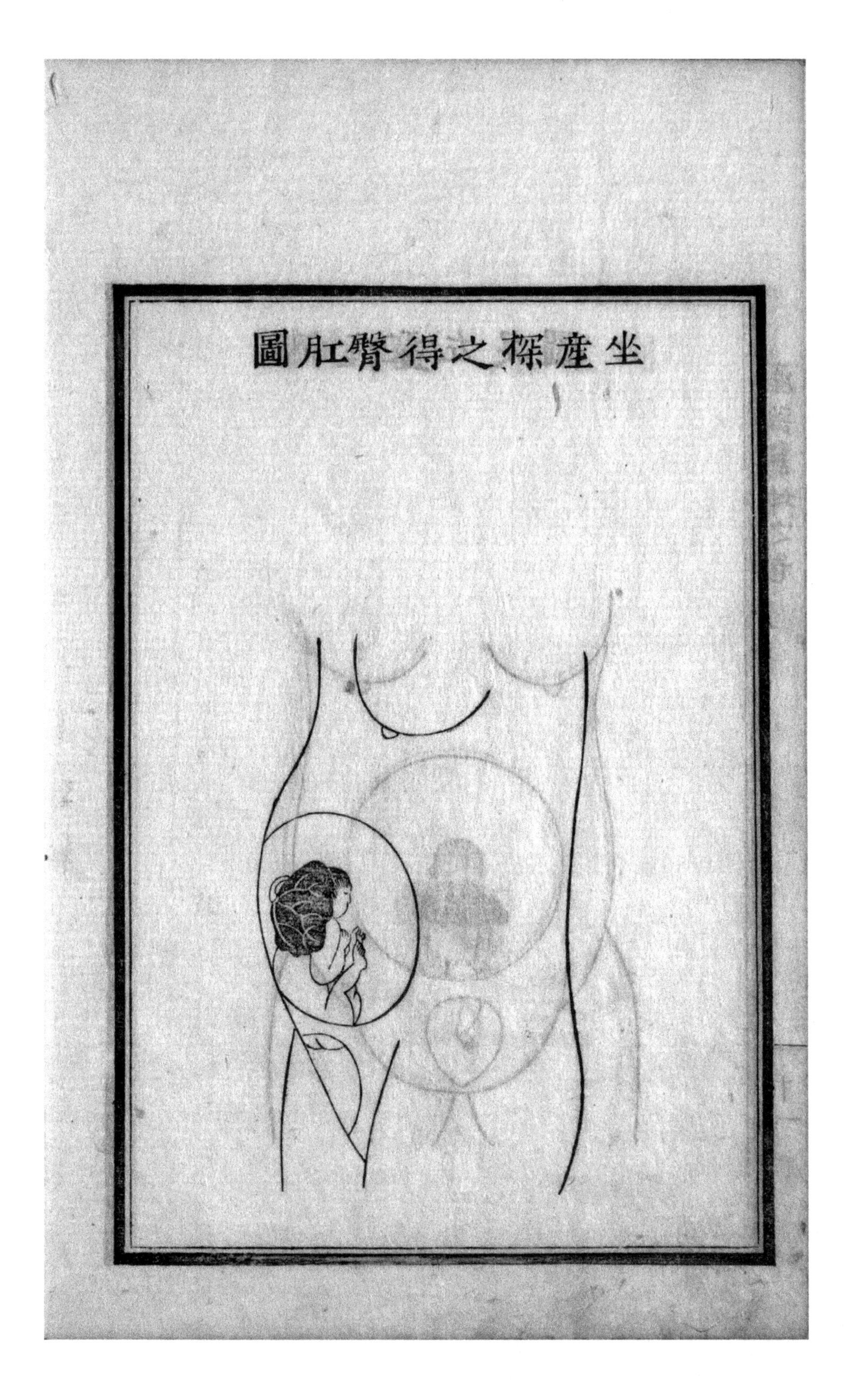

坐產探之得臀肛圖

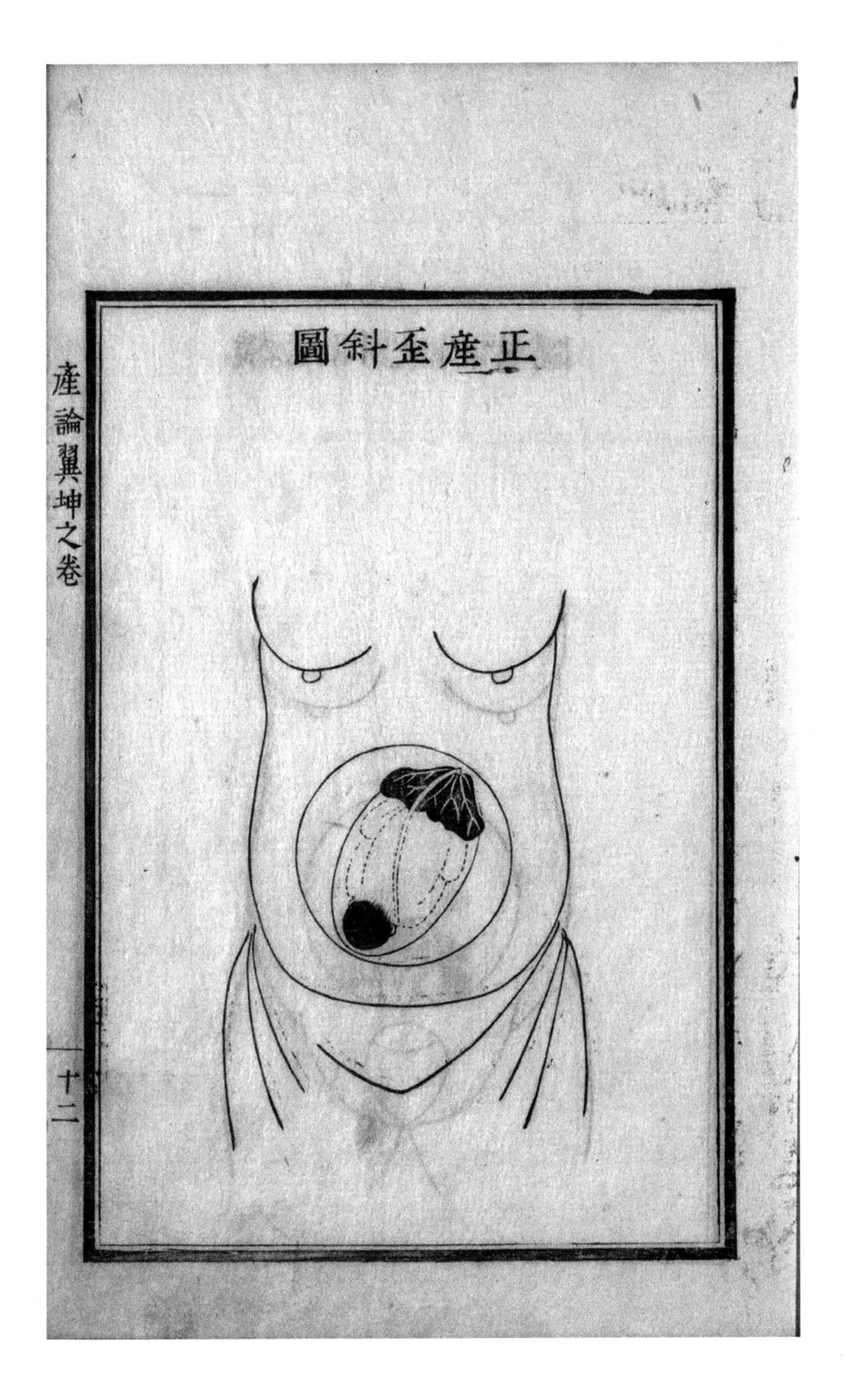
正産歪斜圖
産論翼坤之卷
十二

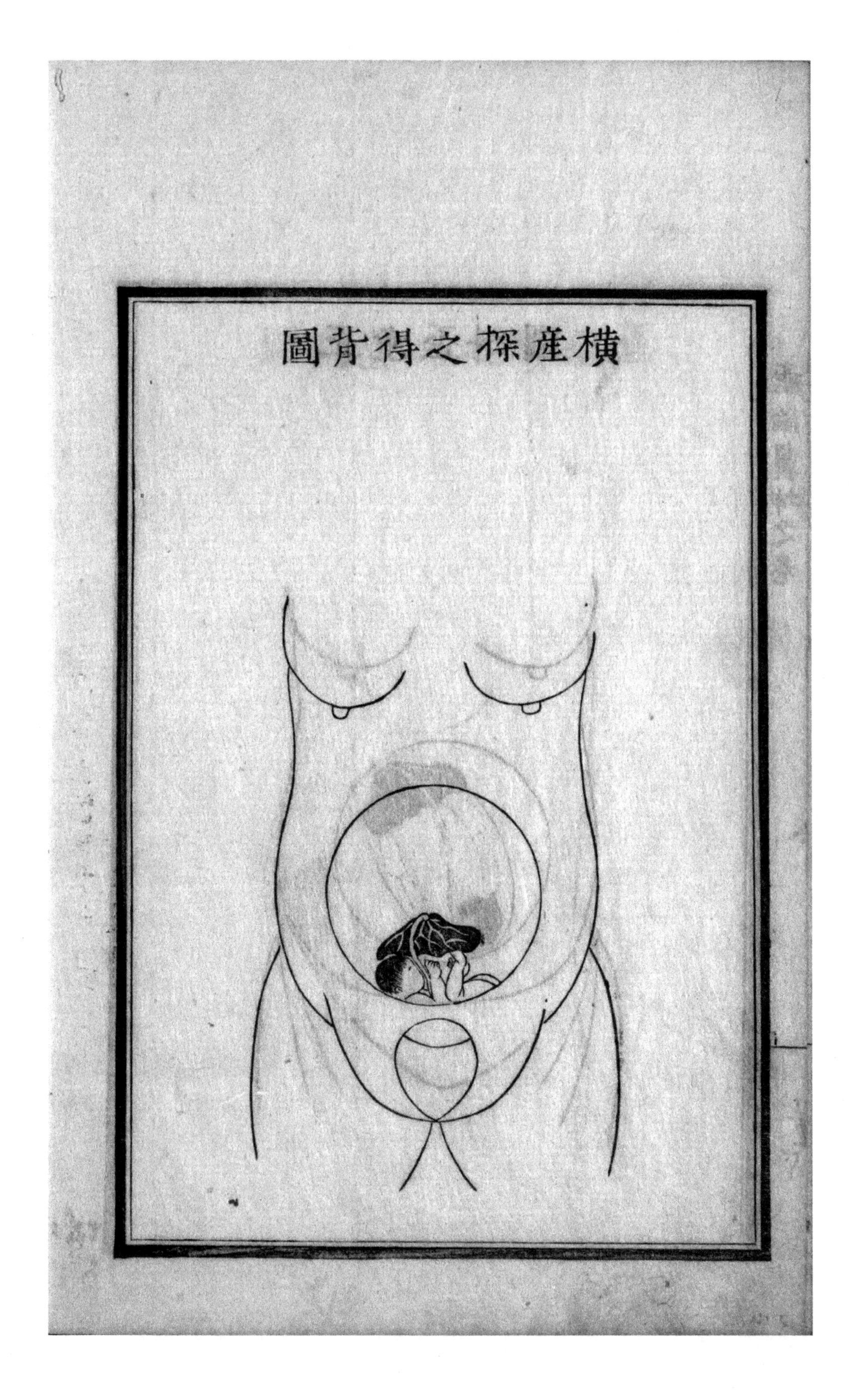
橫産探之得背圖

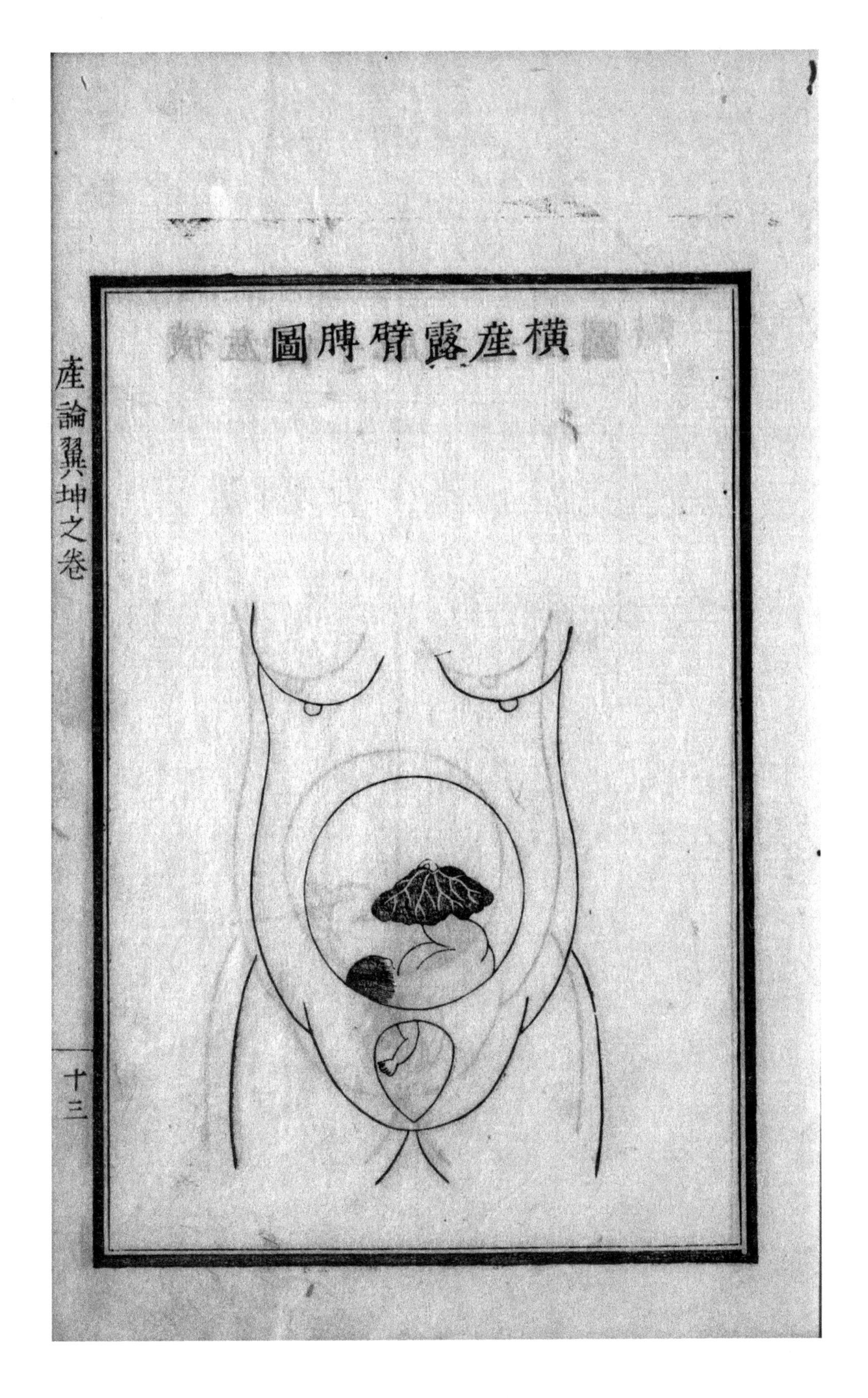
橫產露臂膊圖
產論翼坤之卷
十三

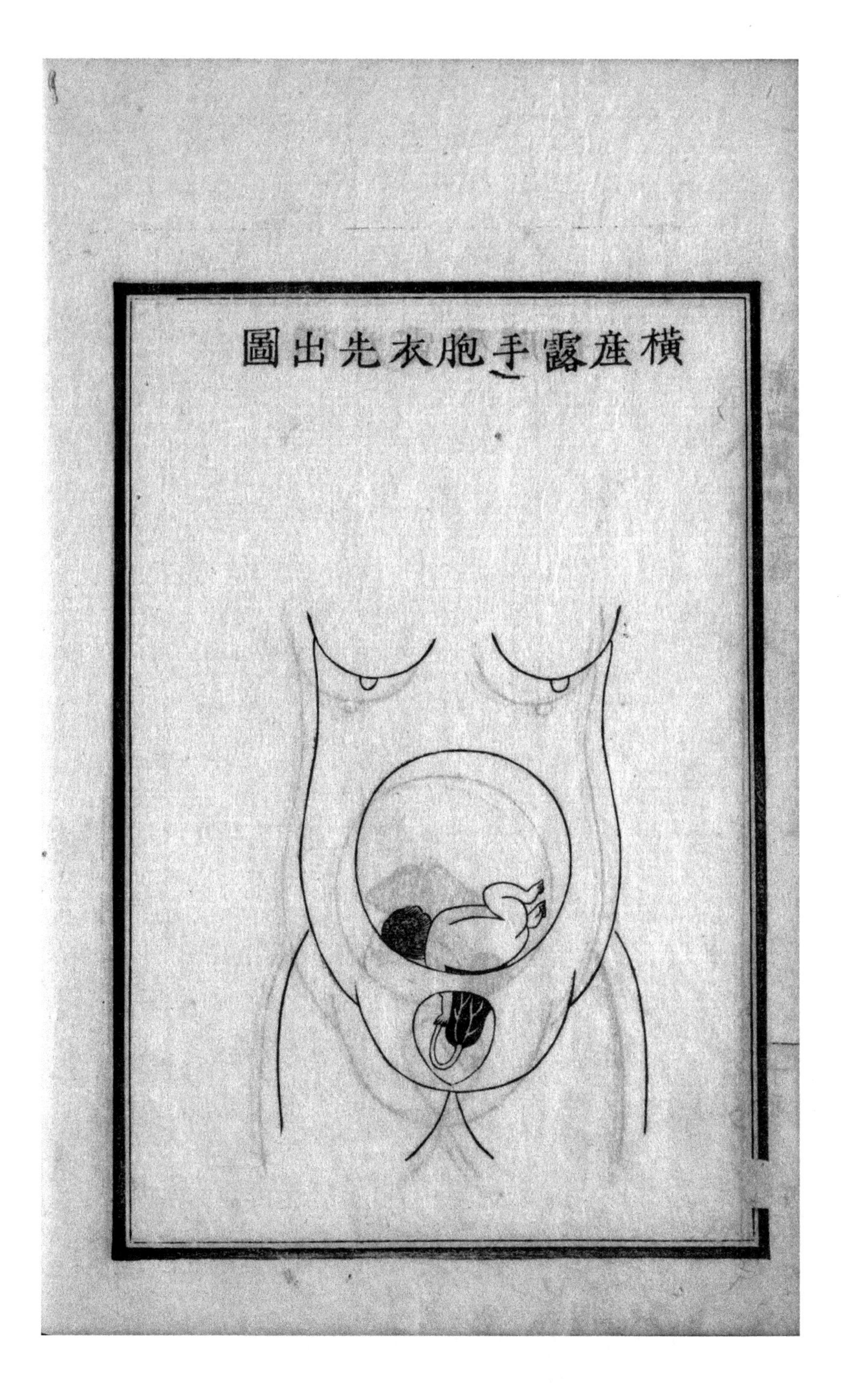
橫產露手胞衣先出圖

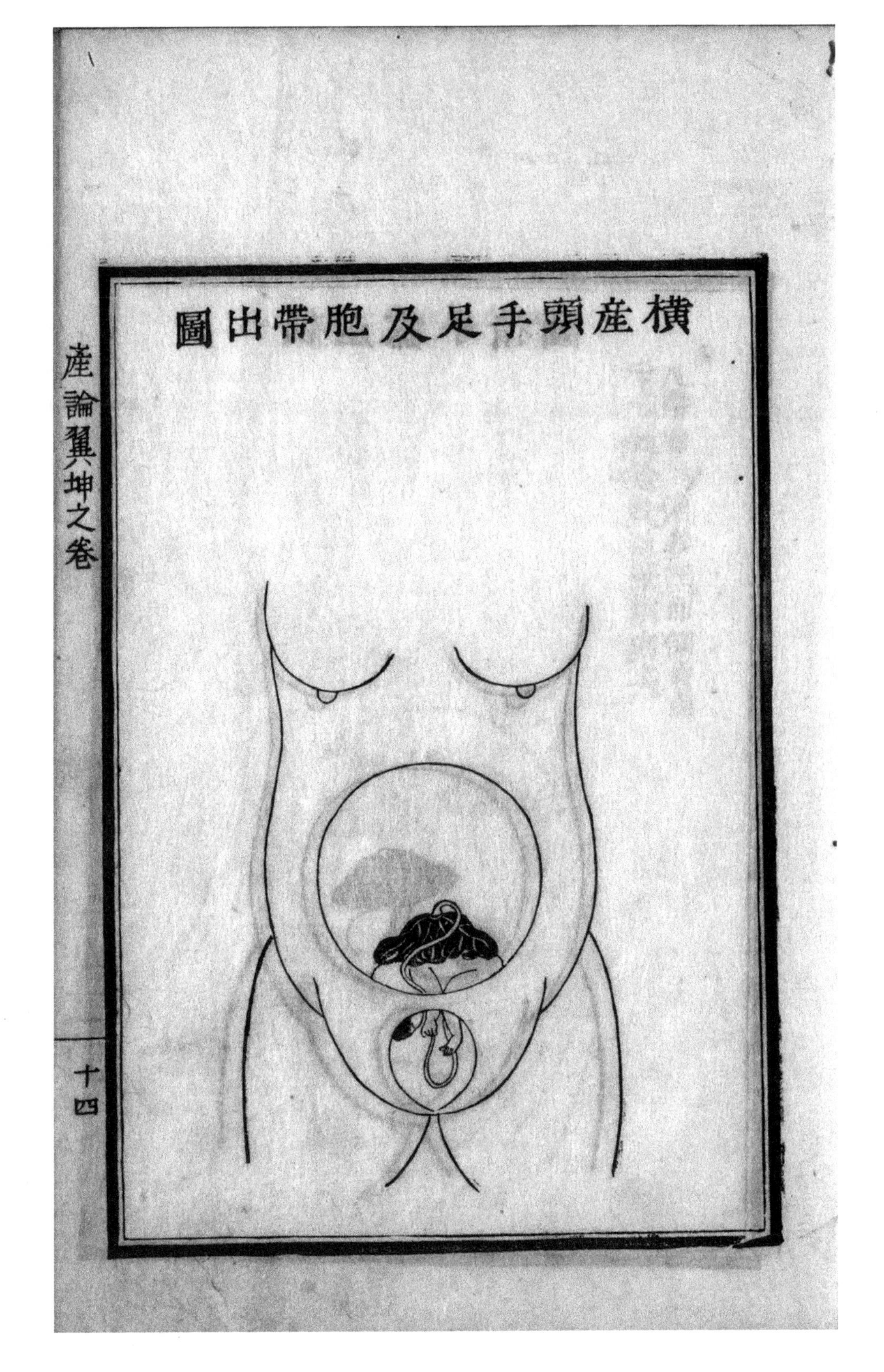
橫產頭手足及胞帶出圖
產論翼坤之卷
十四

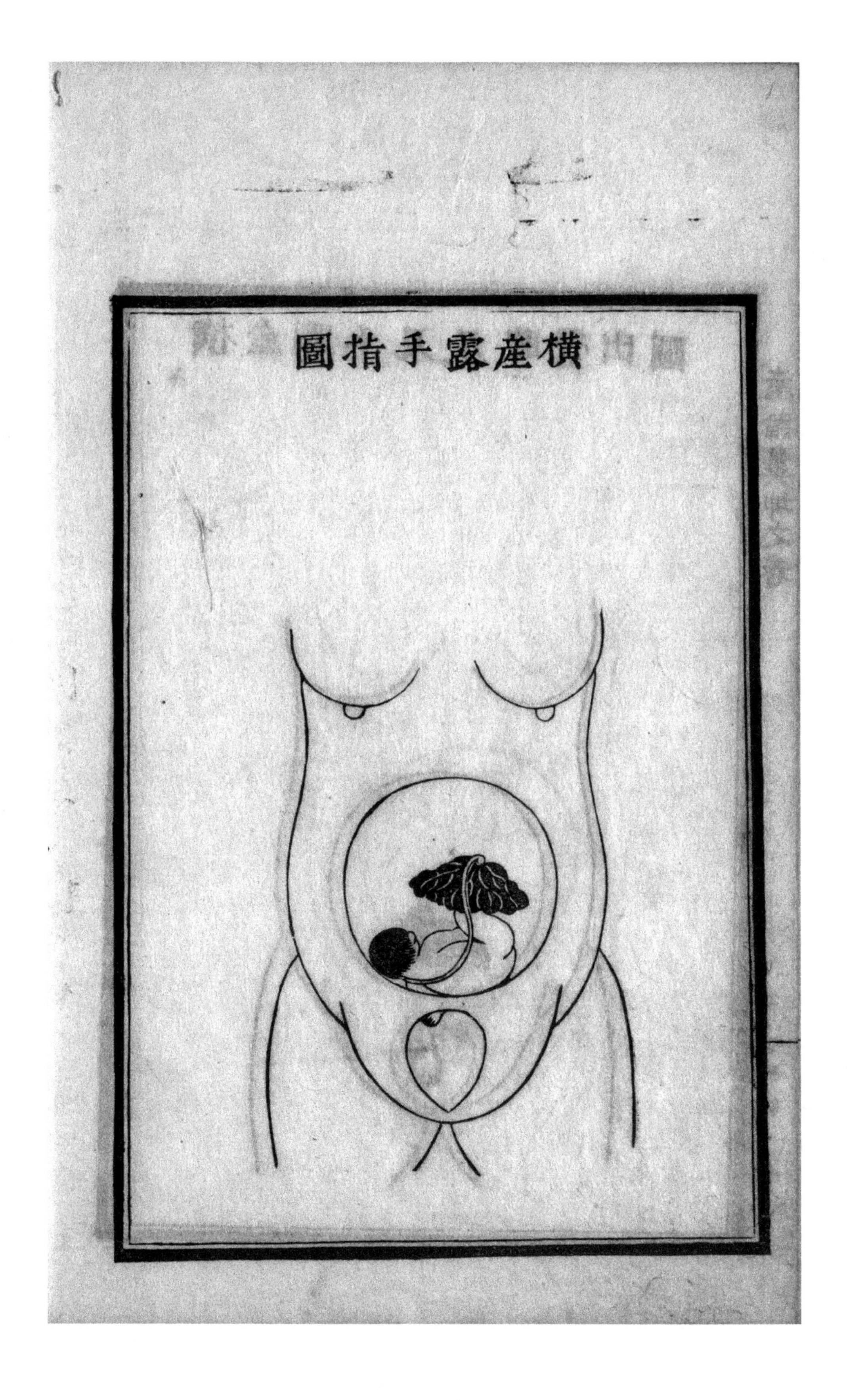
橫産露手指圖

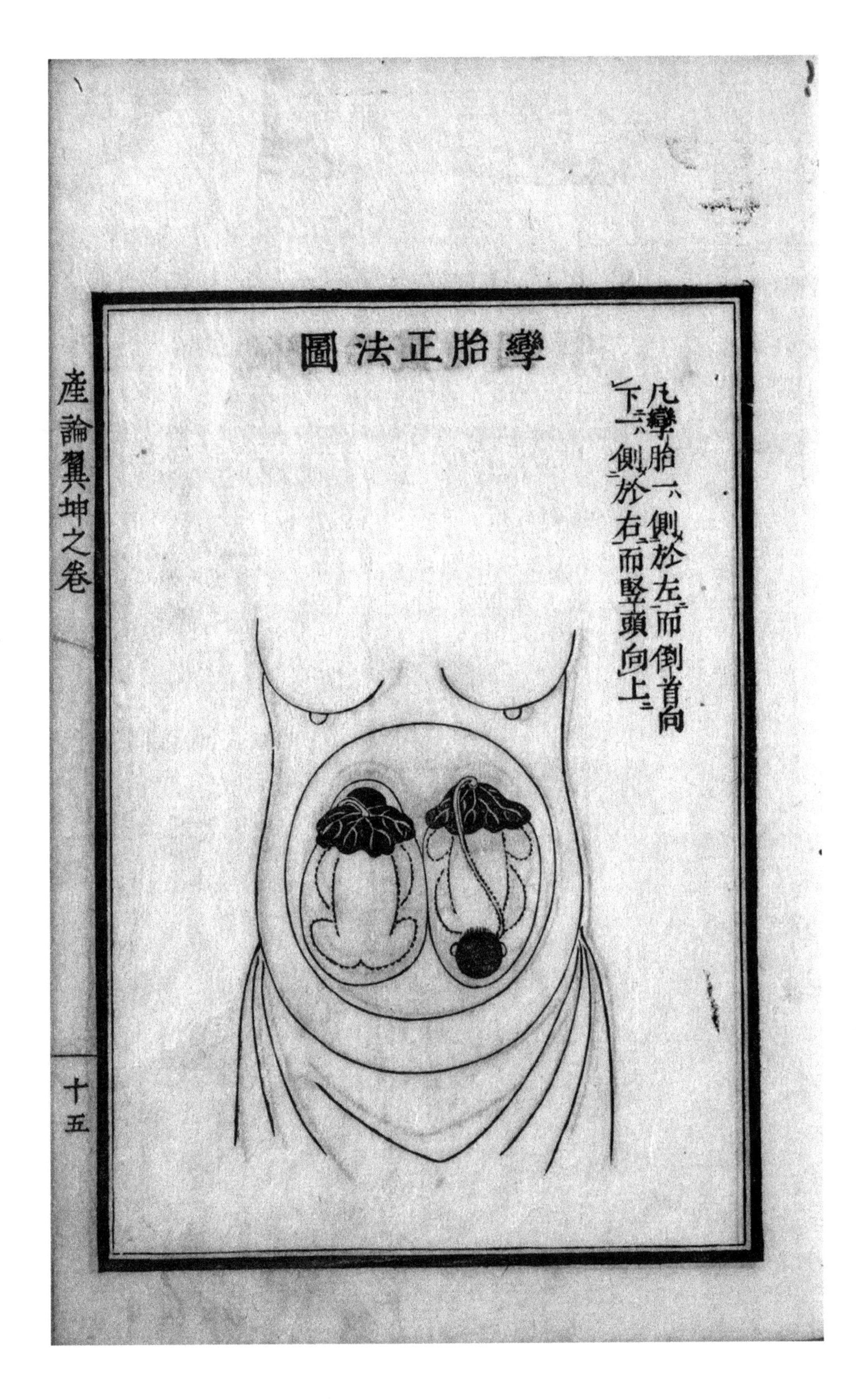
孿胎正法圖
凡孿胎一側於左而倒首向
下一側於右而竪頭向上
產論翼坤之卷
十五

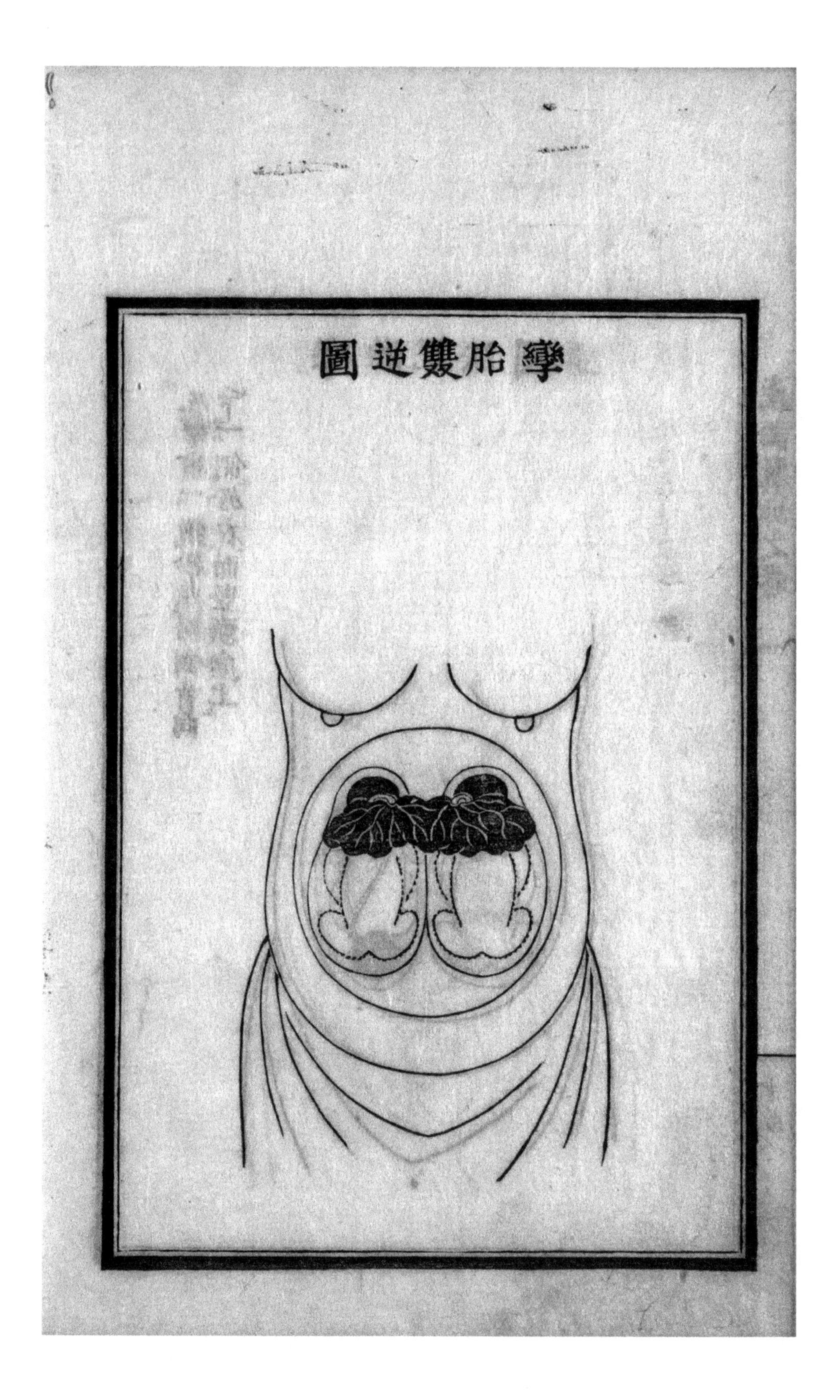
孿胎雙逆圖

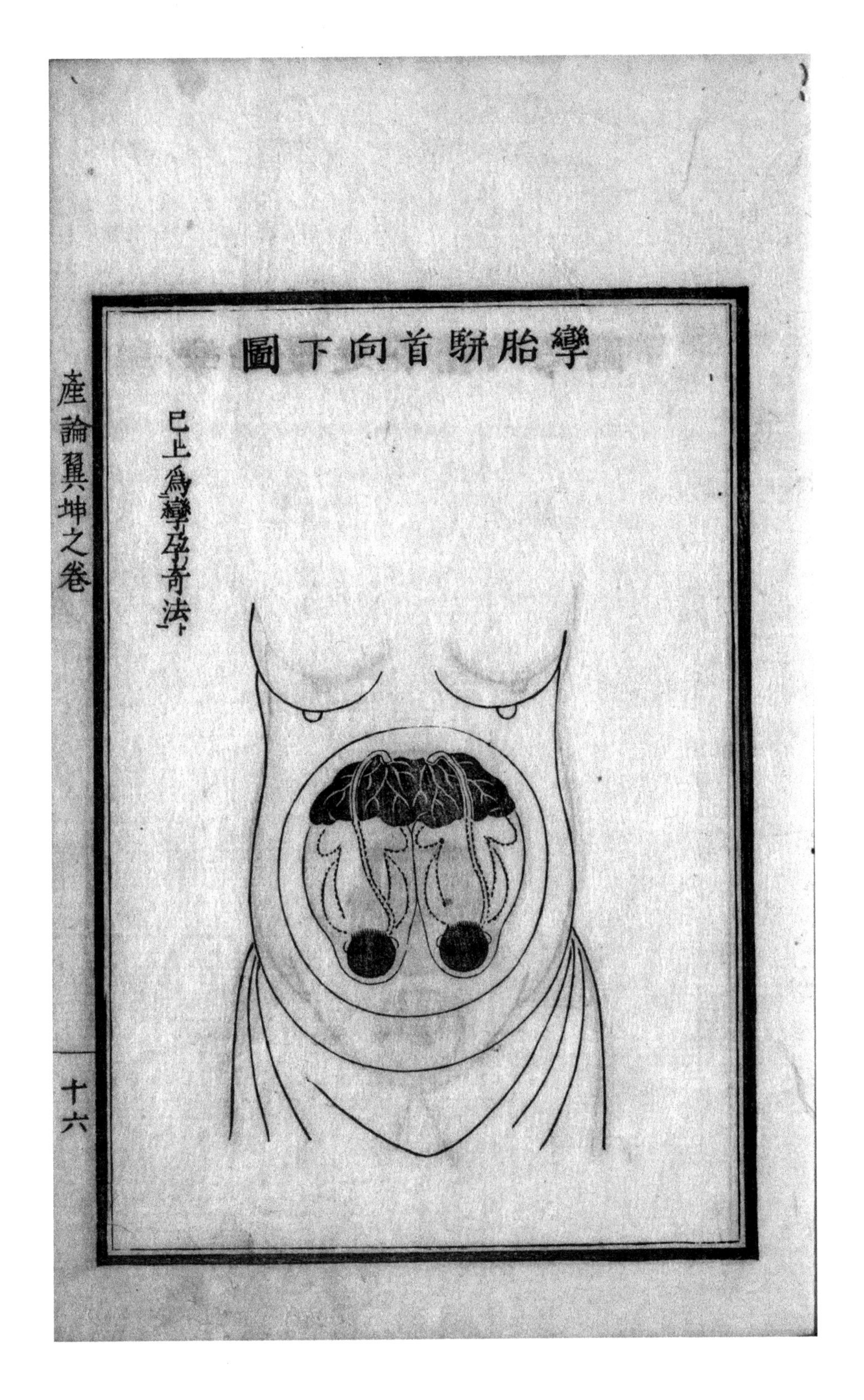

孿胎駢首向下圖
已上爲孿孕奇法
産論翼坤之卷
十六

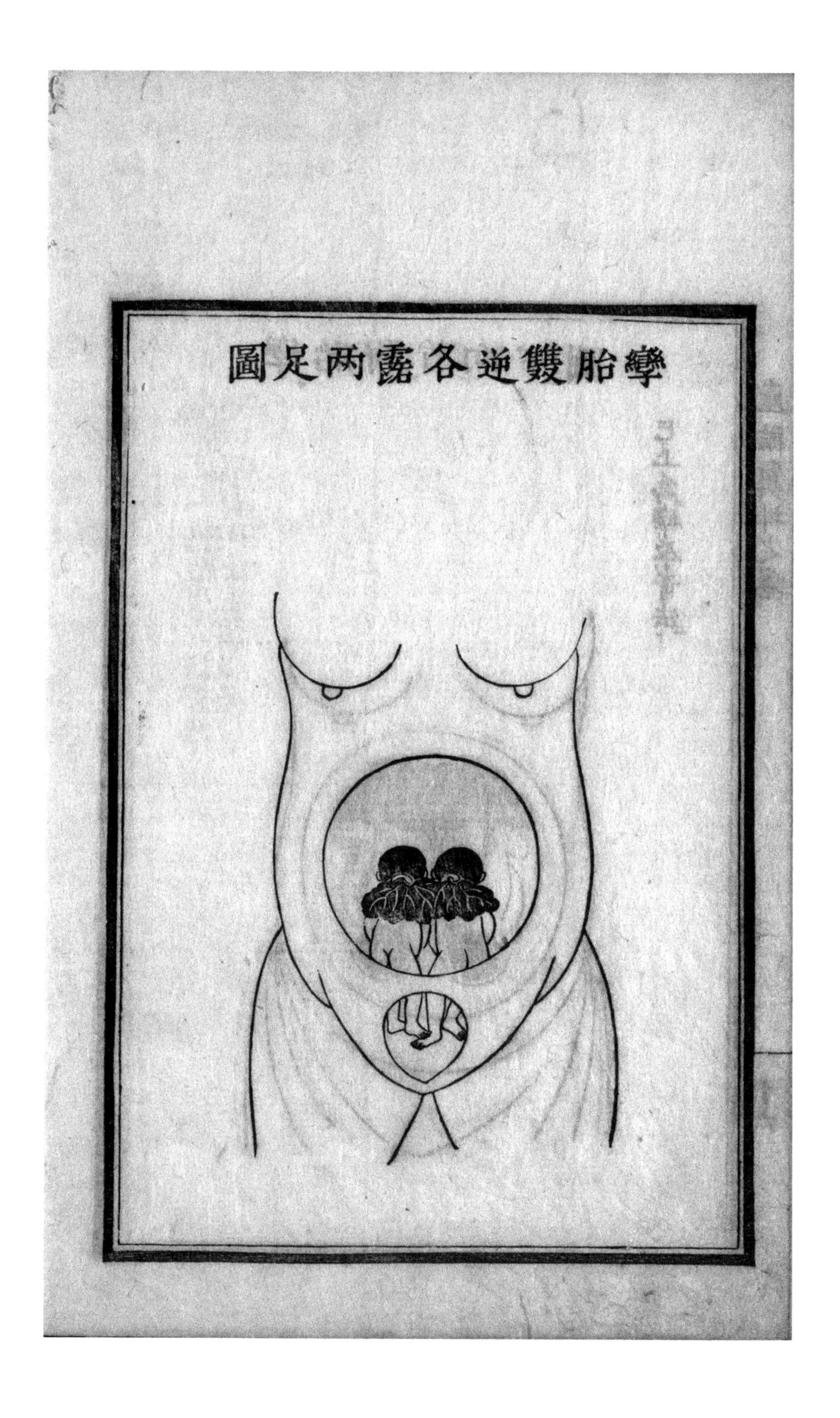

孿胎雙逆各露两足圖

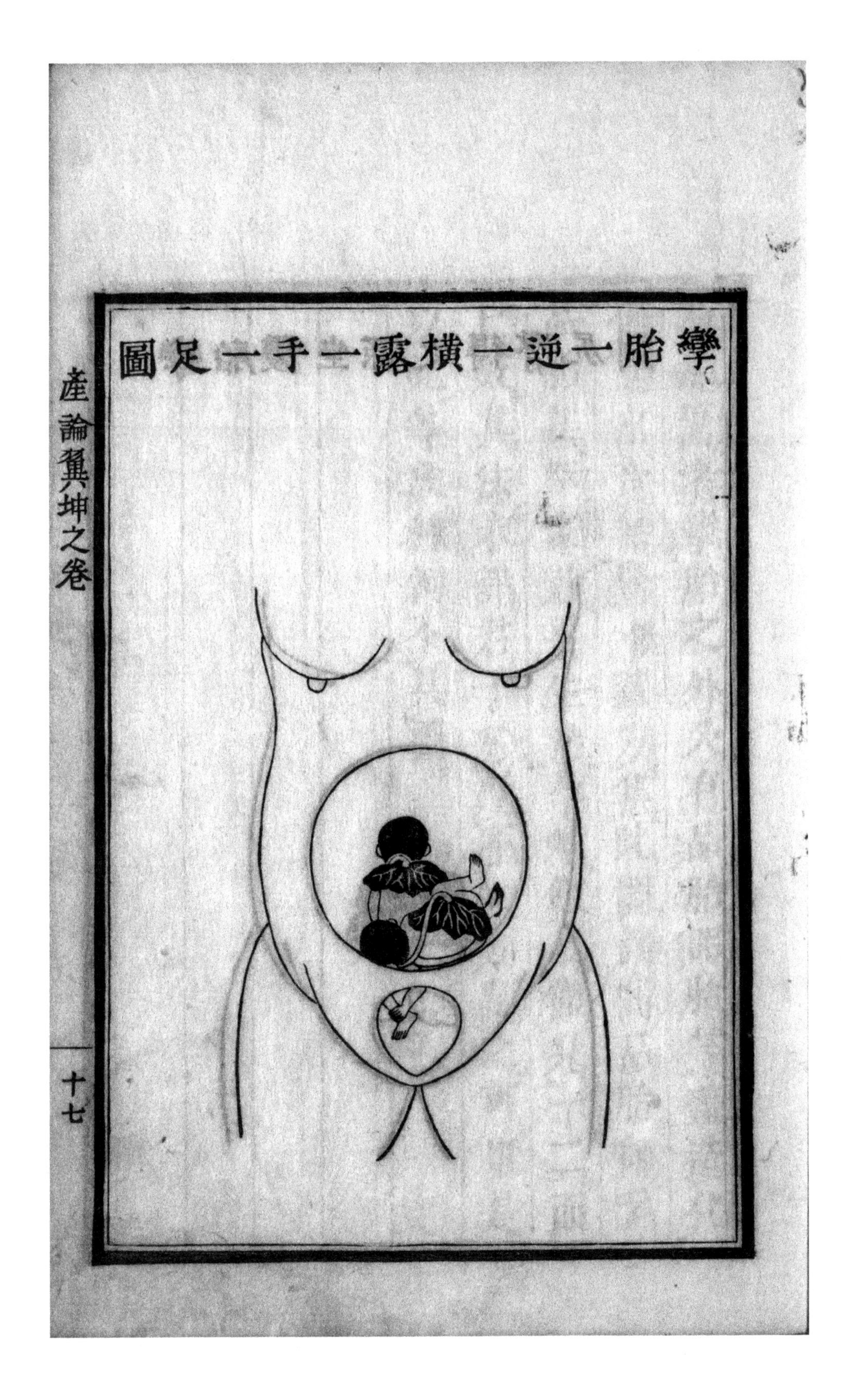

孿胎一逆一横露一手一足圖
産論翼坤之卷
十七

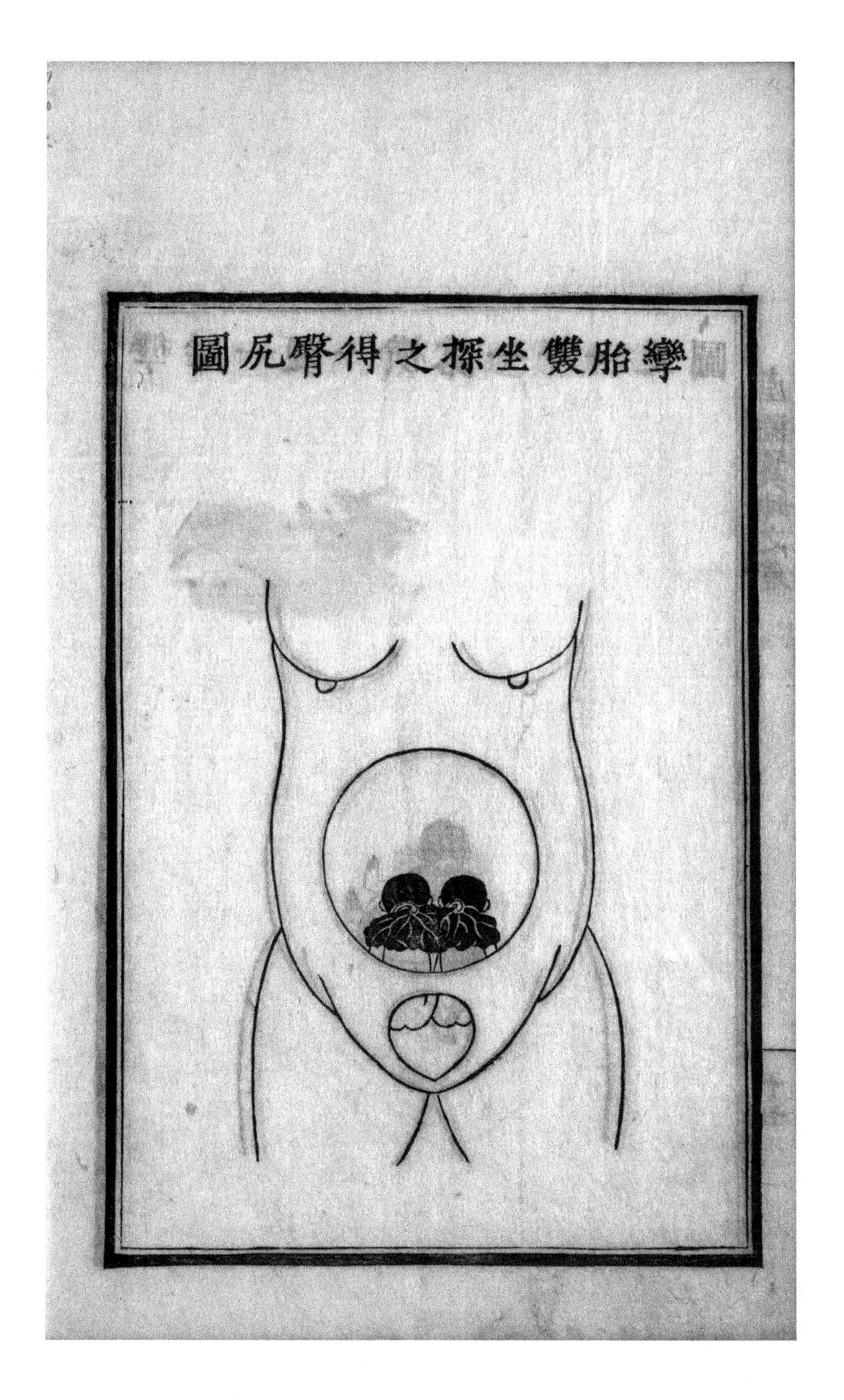
孿胎雙坐探之得臀尻圖

孕胎奇者孿胎之外又有品胎㗊胎等蓋造化
偶感出奇無窮僕輩方集此圖請問品胎師云
品胎甚罕家君平生治孕婦數萬僅見一二而
已故其法未詳君子於所不知則闕之可也是
以此等數種例不具圖

產論翼坤之卷　十八

產論翼坤之卷終

附錄治驗二十八條

甲午之歲克乞暇西遊受業東門橘先生同
盟近藤生者曾受產術於子啓先生因又得
介從事子啓先生乃今產論翼成矣二三子
商克以記其治驗附之然而子啓先生之門
迎請如市而無產不艱無艱不起不可勝書
雖然此其於事也偶令外人窺之卒又有猶
甚於蜀犬吠日者焉克以忝從門牆末乃不
自揆乃與二三子相議抄出其最異常可以

備後案者以錄卷尾云水藩玄亭原昌克謹

識

一條坊賣油家婦新娠至五月墮胎後二月而

腹仍便便延師診曰是孕也婦曰自胎墮未出

貫于外矣師曰勿疑予言胎已七八月但善自

防護之可也既滿期而果産母子皆無恙矣此

蓋孿孕而奇之又奇者

四條織羅匠之女因失足顛蹶右脚腫大遂成

痛楚醫之來者不曰痛風則曰脚氣延師診之

曰是孕也且爲品胎皆已死矣用藥者誤焉母
亦不可救矣舉家以其處子不信及爲出之衆
皆吐舌其明日而死
明和戊子師應召在藩一村婦有乳後發狂已
經八年者此年復產幸師適在其夫來請之理
師爲作折衝飲二劑且囑曰煎成加朱砂各四
分後朝其夫來謝曰未盡劑狂狀頓退今日則
無所病師乃更爲作劑復囑加朱砂四分如前
煎夫驚曰噫僕昨誤聞教命加至四錢耳此可

謂郢書燕說矣師每語人曰積年之病非小劑
之所能理也後以爲談資
師在藩時一武弁某氏内人經閉六月以爲瘀
血療之一朝腰腹弔痛更叢嘔噦藥食不下者
五晝夜勢已危極衆醫束手因迎師診視曰是
孕也而兒既死矣不速出則母亦斃家人疑阻
將議諸嫌㛊叱曰生死之分界豈緩議之時急
與第四和劑爲出之果死胎也時坂東生亦在
坐後語人曰師之用術速於牙醫拔齒

隣里有一尼經閉者累月自以爲娠以墮藥塗一草根挿入牝戸竟不出後二年而發臂癰不堪痛苦因延師師乃與楸葉湯其莖自潰口出癰亦尋愈

明和辛卯師從公在武城之邸一梨園者之姉數日不產小便閟澀腹脹如鼓道中一望而去者不一矣乃介邀師診則兒項拒留于横骨間者也曰當先導水令患者左側臥行導術抑其腹一按快利始能飲食因爲出之遂得不死

一國侯侍醫在武城邸某姓女生草不免者十日神脫脈絕瀕死矣會師自京來因求療師曰是死胎也爲出之頭顱三折而出於是乎父子執弟子之禮

堀川一鍛家妻三十五歲有物稿黑出於陰門二寸許大如筒不得前溲者四日立起解之則不能消縮臥則得微通衆醫不知爲何物延師診視問有痛痒乎曰無乃揹頭搜出之後稍白色者可三寸割之理如纏筋爾後順利復故

大宮街煙草行妻三十三歲經閉十一箇月婁諗爲姙一日腹內大痛穩媼勉強坐草愁楚之聲不絶師診曰是血塊也乃今將潰所以有痛也與折衝飲下黑血塊大如拳者十八枚調理旬餘而收功

一村庄室女經閉五月衆醫誤認投破血劑無驗招師診曰是娠也父母不信後迄九月請診老夫子老夫子因問師曰汝嘗視此女耶曰然曰夫腹大九月而無應者吾恐未爲娠也師曰

前診得孕候請待十日而更診之乃旬餘而老
夫子與師復診仍無應者父母又相語曰阿子
性格謹厚安得有奸將復用破血劑師堅爭以
不晩過二十日外胎始應手乃引其母之手以
示之曰是兒頭也是兒手也父母愕然遽具襁
褓以待後半歲而娩前後計十五月而母子皆
全

郡村一農婦產後子宮脫不收者五年色黎黑
甚堅而其口反向於下月信至則自其口出師

爲行斂術霍然復故
隣里一婦駢胎擧一男一女胎衣不出嘔吐昏
煩仍發血暈爲行禁術次日胞下河島村一農
婦既產胞未下亦發暈師爲禁之更與折衝飲
越三日而下皆得輕快師每語人曰胞滯發暈
者雖得一救全功難收如是二婦實千百中之
一二幸免鬼籙者耳
千本坊一婦逆產已露全身不出者累日因請
師至其家夜已半矣診之其胎孿也皆已死蓋

先是坐婆强引其所露之兒項頸挽長但有皮
連如線已當師探之時如線之皮已自絶去乃
先爲出其全胎者既欲取其所遺之頭其頭在
內轉滑不可捉定探索久之而始得其口乃拘
曳出之以產難移日故脈息俱虛無力開聲先
是其婦母病臥其後室其夜孖㿃勢極既屬纊
家族悲泣聲聞于產室婦聞其聲詰問不已纔
覺其死乃又悲傷氣勢更疲㥶與第四和劑且
慰且叱因曰死者有命悼之何及胡不自重汝

今臨危不如生者之不殞其身撫喩數次婦心稍若回者儀又鐘聲連響殷殷徹耳報言失火師復慮其驚悸生變守不離側百端安貼心力俱費竟得無事後語門人曰若使世之產就椅者則其豈得救乎

六條土手坊一商婦歲三十八秋間患痢豎與澀劑變成臌脹肚腹如箕坐則不見膝頭衆以爲必死置之若棄有人偶延師診之肋骨歷歷如蜘蛛以腹皮脹極連引面皮口眼歪斜悉向

下先與鎮砂丸十錢且日唯食以赤小豆及麥
通利漸順出入歲餘而竟得存生矣量小水凡
五斛八斗有餘除飲食所日用者則一斛六斗
住吉巷餅匠之女乳後在草蓐手足腫裂狀如
大風師乃與鷓鴣菜湯下蟲及穢物更與四物
湯加芩連而康復
朱雀邑一農婦娩後產門下垂一物如囊卵自
欲出之持刀子忍痛貫之意欲以為拳出之已
而誤割不堪痛楚因迎師診曰是子宮脫也則

行歛術傷口亦遂不覺有痛嗣歳復生育
一內人初娠當坐月一日覺腹內微痛坐婆以
爲臨盆醫者雷同投用催生劑或稱易產奇方
珍藥紛紛亂投擠簇房中須臾霍然既間二日
復痛漸緊坐婆曰莫慮是試疼也又邀前醫看
之醫曰定痞痛也唯忍痛爲可耳乃處理痞之
劑去已而腹痛至不可堪家人以信醫及坐婆
之言不復顧後迨七朝面上發黑班於是家人
輩始覺其有異同族適有知師者迎而視之婦

聲音舉止尚如平日唯六脈數急師出則告家
人曰是猶死屍也胎柱横骨而母羸甚囬生有
術亦難以施胎若一出其斃乃不待瞬是取胎
失其期之過雖扁倉亦不能救耳婦果不及娩
而死
一婦欲娩不娩者累日招師至則旣産兒不啓
聲全面皺縮目鼻無別婦與穩媪相議曰兒生
若此縱令得長醜怪驚人爲衆目所笑嗤擠其
及乎師曰叱去無他此特産難歷横骨而然耳

已而不經一時形已復

一寡婦三十五歲經行不來者五月衆醫以爲經閉理之遂下紫黑衃血者累旬而不已家人皆以爲所下未盡故也乃來託之師診曰是孕也因與膠艾湯十日而血遂止及滿月而果娩母子俱全師命門人記之

烏丸坊一米戶妻初娠年甫四十産難旬餘綿綿漸就沈滯衆醫技窮延師診視四體瘦極六脉細伏而惡臭滿室告曰胎死既久矣不亟療

母亦斃瘵亦危家人泣曰病固危急君爺幸盡
意救之則死而無恨也因爲出之娩後劇大熱
一身如火昏悶煩燥口渇引飲極喜熱粥六七
碗時或吐沫咬牙日發五六甚則將死用鷓鴣
菜湯五劑下死蛔前後十六條貼然得痊可
栅橋氏内人每孕必墮藥餌針灸竟不見寸效
兄弟相議託師婦泣曰妾重身者嘗七不得一
正産父母以責妾生兒育三日則死而不恨告
曰有一法唯恐不從也曰唯命是從師因爲之

棄去鎮帶與以膠艾湯且戒之夫妻別寢又禁
浴時會盛夏連月天旱彼以信師言堅守其戒
終無點滴濡身者師又為之日以整理其胎遂
得及期而舉一女子次年復孕亦如前法復舉
一女子
五條街一釀家妻年過三旬經產者凡十一最
後已乳腰中強硬不能行履越三年百藥無驗
師先用洞當飲加地黄蓊歸杜仲午膝其次日
刺左右委中各一針隨手而忽起歩矣退嘆曰

甚哉產椅之害人也
六角坊絹商婦娩後八朝倏忽暈厥藥汁不下
衆醫不知所理以危急延師至則見家人哭泣
者且辭曰婦不幸不能及君之一診既逝矣師
曰病發日且而今尚未移晷余且爲視之直入
出告傍人曰婦未死此曰痛一身溫和尚可救
也皆曰君其毋欺乎曰救之而不理則命是何
忍以不救而死乃行救術氣息少通脉亦微應
乃急濃煎參連頻頻灌之夜半稍省人事次日

能言迨五朝而産
師在出羽時一婦乳後患人門潰爛起歩則如
刺時時尿淋爲診且探宮陰中有物大如桃核
頗類浮石應指而出爾後若一掃頓快
一門徒僧内室胞漿既下不産者七朝穏媼勉
強努力身體困倦腹内猶疼不能側臥一老醫
投用附子理中湯益甚先是嘗新産患脚弱受
診老夫子以故招師師至未診問曰有鎮帯邪
曰然曰是病之原當去之鎮帯壓胎先所下之

水卽脬中餘瀝也於是爲以墜胎術未半痛頭除更與洞當飲二三劑巾櫛如常越四十日胎被膜而娩母子幷全

堀川煙草戸妻坐月患咳嗽動作無衰師診曰死期在近娩後不越一日果然二三子問其所以曰測法云虚里動劇者乃氣急之兆也以故知之

室坊涂匠婦經閉三月偶出行遊歸後小便不通者十五朝涓滴亦無矣幾至於危延師診曰

是子宮下墜梗便道也用玄英湯加竹葉投一剤師因創意以蓐墊起其腰後候背反腹脹使一人就其右兩手隔腹搜上子宮師以右手食中二指自陰中捺下其子宮口反向上者小水即潰決如泉肚腹頓寬而安洩閉用是術自此始

田中生妾新產延師至其家則曲屏周圍衣被粘着婦交睫而倚椅診之其腹豊充其乳寛皺而婦出聲曰妾素多病產前用藥不少乳汁恐

不給育兒師笑曰如是乳房原無汁之理乃使
一婢取其赤子其兒頭圞圞盖經乳已再三尤
易產者之兒也乃出語曰診之無產後之證彼
將給余是必有故既詗之妾者故祇園一娼妓
也生未蒻冠時買爲妾爲作一室外居之後數
年無子因更聚他已而其妾與其父母恐被廢
棄乃容相謀託一孳母買貧家之初生之子以
詐身也其事果覺於家婢妾遂放逐

附錄治驗畢

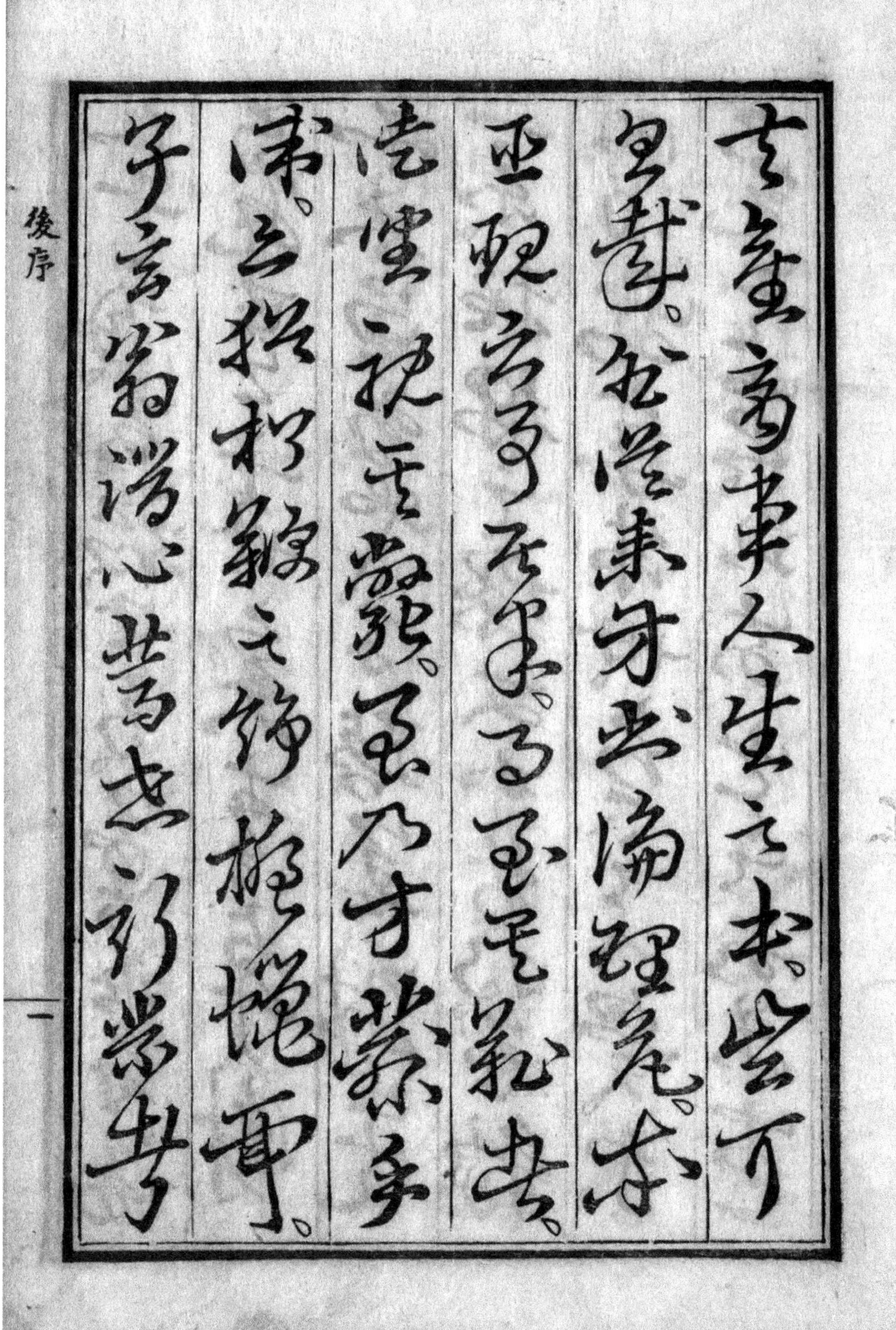
後序
一

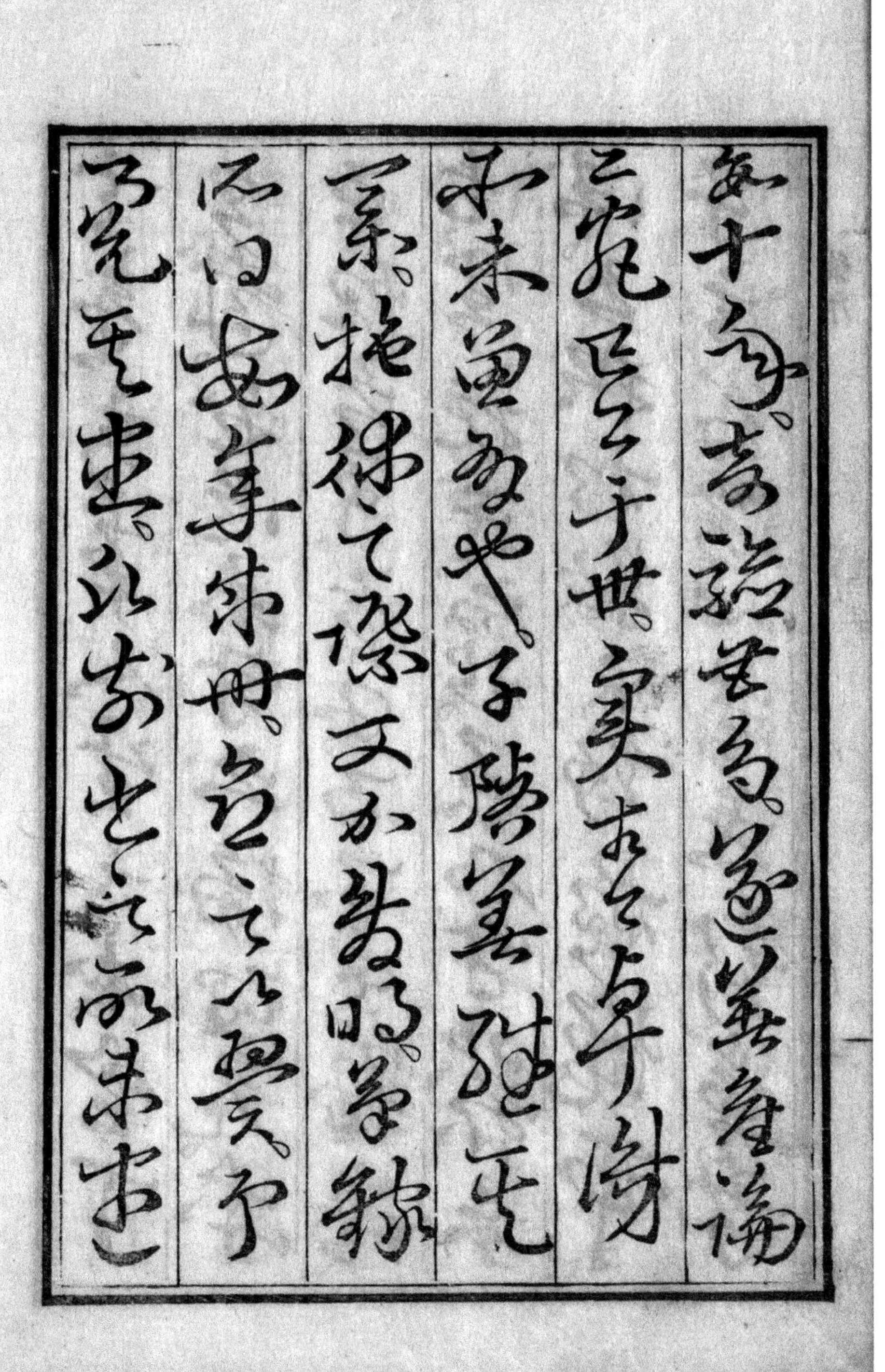

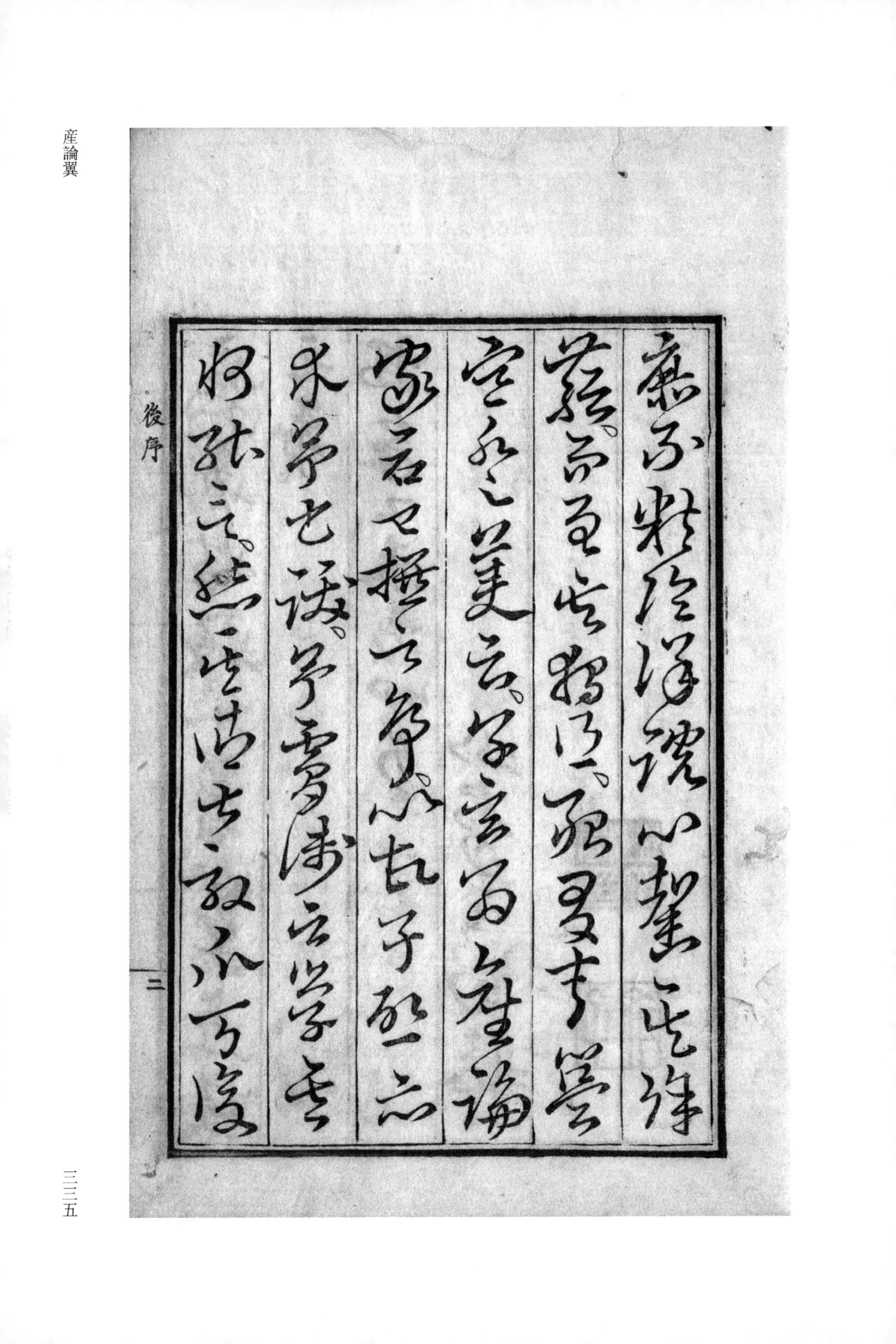

[illegible]

[illegible]

[illegible]

[illegible]

[illegible]

[illegible]

安永四乙未春三月

京師書肆

堀川佛光寺下ル町　河南四郎兵衛

同四條下ル町　河南　喜兵衛

大坂

心齋橋筋安堂寺町　大野木市兵衛

江戸

日本橋一丁目　須原屋茂兵衛

發行

特1
816